# SUR STALINE

*Staline, à Sotchi en 1933, emporte sa fille Svetlana.*

EMMANUEL D'ASTIER

# SUR STALINE

CLAIREFONTAINE

*J'abjure, je maudis, je déteste d'un cœur sincère et avec une foi sans feinte les susdites erreurs ou hérésies... c'est-à-dire d'avoir admis et cru que le soleil est le centre du monde immobile et que la terre n'est pas le centre du monde et qu'elle se meut.*

AVEUX DE GALILÉE.

# PRÉFACE

A Moscou, trois femmes étaient réunies, l'une dont Staline avait tué le mari, l'autre dont il avait tué la sœur, la troisième qui revenait des camps; trois hommes aussi, un bolchevik, un socialiste révolutionnaire et un poète. Je les entendais raconter les drames, devant un paysage qui s'en allait par des chaussées de légende – Léningrad, Volokolansk – vers les sept gratte-ciel de Moscou, au travers d'un paysage d'herbes, de lupins sauvages et de bouleaux serrés, que barraient à droite le mur d'un cimetière et le tombeau de Pasternak.

L'un disait: «La veille du jour où il faisait arrêter le médecin Vinogradov pour le complot des blouses blanches, il lui faisait envoyer des fleurs.» L'autre disait: «La veille du jour où il faisait arrêter Touka-tchevski, il le présentait à la clameur des foules au mausolée de Lénine.» Le troisième se tournant vers l'horizon ajoutait: «Oui, et pourtant, l'œuvre est là, le nouveau monde, cet empire?»... Par la voix de la plus belle, les femmes protestaient: «L'empire n'existe que dans les âmes. Il a détruit les âmes pour une génération.» Puis elles s'excusaient: «C'est notre faute, nous avons tous fait le monument.»

*9*

Elles avaient des visages d'Erynnies et parlaient comme Marguerite dans le *Richard III* de Shakespeare: «*J'avais un Edouard: un Richard l'a tué. J'avais un mari: un Richard l'a tué... Tu avais un Edouard: un Richard l'a tué. Tu avais un Richard: un Richard l'a tué.*»

Le siècle nous a apporté un renouvellement de cruauté. Les grandes guerres avec les moyens de destructions massives, les multitudes soumises et entraînées, les idéologies imposées, et l'esprit de croisade ont étendu la perversion. La cruauté a été érigée en système par des groupes sociaux, par des Etats de plus en plus nombreux. Hitler et Staline, au nom de concepts opposés – la domination d'une race, le socialisme – en ont fait un moyen de gouvernement: faux procès, aveux arrachés, tortures, meurtres, génocides, univers concentrationnaires. La gangrène a gagné sous le couvert des dictatures et même dans les pays dits démocratiques. La France, pays paisible, a été atteinte.

Le siècle nous a apporté aussi un redoublement de mensonges. Trotski écrivait en 1940, avant d'être assassiné: «Notre époque est avant tout l'époque du mensonge.» Il l'attribuait aux contradictions sociales, au heurt des classes. On en est venu là quand on a admis, de part et d'autre, qu'il fallait dénaturer les faits pour ne pas nuire à l'idée qui doit s'imposer au monde, quand on a voulu que la parole et l'écrit ne soient que les munitions d'un combat et non l'expression d'une connaissance et d'une sincérité, que revive l'argument de Loyola qui veut que le noir soit déclaré blanc si cela est utile à votre église... C'est dans la violence et le mensonge et le secret que les idées s'étiolent et meurent, que l'on consacre le mépris de l'homme, que l'on maudit la politique.

La politique et la technique seules ne peuvent résoudre les rapports des hommes entre eux et témoigner de la qualité d'une civilisation. Une civilisation se traduit aussi par ses mœurs. Le monde entier a continué à pratiquer des mauvaises mœurs, que justifiait ici la permanence d'un système social, là le but généreux à atteindre. Les bonnes mœurs viendraient après. On oublie qu'il est plus difficile d'effacer de mauvaises mœurs que de renverser un système.

Dieu ou les socialistes pourvoiront à tout, a-t-on dit, de part et d'autre. Et les tueries continuent, légitimées, et un tiers des hommes accède au progrès, tandis que les deux autres tiers végètent misérablement. Les héros, les hommes illustres choisis ou acceptés par les hommes sont le fruit d'une civilisation marquée par les guerres et les grands déséquilibres de la condition humaine. Ils sont conduits à consacrer une bonne partie de leur temps et de leur génie aux tactiques du combat, aux arts de la destruction plutôt qu'à développer et organiser l'économie du monde.

Un avenir proche dira s'ils sont capables de suspendre la guerre et de corriger les outrages faits à des millions d'hommes, capables de s'asseoir autour d'une table sans se partager le monde, sans chercher à imposer des dogmes et des systèmes, plus impatients de rapprocher les hommes que de les opposer, d'effacer les nations et les différences que d'exalter celles-ci et de cultiver celles-là.

Au XX<sup>e</sup> siècle, les hommes, à cause de l'accroissement vertigineux de leur nombre, à cause du rythme insensé de leur existence, du règne de la machine et des techniques, de la complexité des problèmes, s'éloignent ou se découragent de la démocratie pour s'en remettre aux dogmes, aux religions, aux Grands, au surnaturel.

Ce recul traduit chez les dirigeants un mépris de l'homme, chez les dirigés un sentiment d'impuissance. Le mouvement des hommes est retardé, accéléré et mis en œuvre par les Grands qui sont, avec leurs mythes, la projection de l'espoir ou du découragement. Mais ce mouvement ne peut aller vers une civilisation que dans la mesure où des masses d'hommes, de plus en plus grandes, accèdent à la connaissance, au jugement, et à la participation.

Staline a dit: «L'homme est le capital le plus précieux.» On a répété cette formule avec complaisance. Elle est équivoque. Si l'homme est un capital, c'est-à-dire un bien possédé, il peut être capitalisé au profit d'un Etat, d'un système, c'est-à-dire possédé, utilisé, sans souci de la part naturelle qui revient à l'individu.

« Joseph Vissarionovitch Djougachvili, Staline, chef du Parti communiste de l'Union soviétique, premier ministre, généralissime et dictateur de l'Union des Républiques socialistes soviétiques, est né le 21 décembre 1879, dans la ville de Gori en Géorgie, Transcaucasie. Son père, Vissarion Djougachvili, un pauvre cordonnier, mourut quand Staline avait onze ans. Sa mère,

Ekaterina, fille d'un serf, était une buandière très pieuse
et illettrée... Il mourut d'une hémorragie cérébrale au
Kremlin, le 5 mars 1953. Il est l'une des figures historiques les plus complexes, puissantes et controversées.»
Ainsi nous le présente l'*Encyclopédie britannique*.

Ne parlons pas des vies romancées, privées ou non,
écrites par des faux témoins ou des agents secrets...
Qui fait un portrait véridique de Staline? Isaac Deutscher, écrivain révolutionnaire, objectif et sérieux, a écrit
son histoire avant le terme. Trotski, Victor Serge, ses
victimes, ont tracé sa vie jusqu'en 1940. Khrouchtchev,
Churchill, de Gaulle l'ont dépeint. Il y a l'histoire
Staline, dressée par lui-même, dans dix volumes de
documents et de travaux indigestes.

Pavlov, son interprète, le tient pour admirable et
pense qu'on le calomnie. Trotski en fait «la plus grande
médiocrité du Parti», et un paresseux. Churchill le dit
un homme perspicace et intelligent qui saisit tout dans
un éclair: «Il viendra une génération qui ignorera les
misères et bénira le nom de Staline.» Victor Serge, en
1940, en fait «un dur et grossier réaliste», un tricheur
au bord de la défaite qui s'attend à recevoir une balle
dans la nuque. Harriman, le diplomate américain, rapporte les propos de Khrouchtchev: «A sa mort, j'ai
pleuré. Après tout, nous étions ses élèves et lui devions
tout. Comme Pierre le Grand, Staline a combattu la
barbarie par la barbarie. Mais c'était un grand homme.»
Et Khrouchtchev encore nous le dépeint en 1941, après
l'invasion, inconscient, abandonnant toute forme d'activité, disant «nous avons perdu à jamais tout ce qui
fut créé par Lénine», tandis que Hopkins, le conseiller

de Roosevelt, nous le montre, dans les mêmes semaines, sachant tout, décidant tout, parlant net et fort.

Qui voit juste? Qui dit vrai?

... Pour une bonne part chacun: Staline est tout cela à la fois. Mais à de rares exceptions près, les jugements portés, les livres écrits veulent prouver et non pas témoigner. Ils sont le fruit d'une thèse, d'une aversion ou d'un culte. Le héros ne surgit pas dans cette vie multiple et contradictoire qui est celle de tous les hommes, même celle d'un Staline. Et comment démêler l'œuvre de Staline de l'œuvre du Parti communiste, sa grandeur de celle de son pays?... Aussi mon propos n'est pas une vie de Staline, un portrait de Staline, mais des traits nouveaux, des réflexions sur Staline.

A Moscou, j'ai regardé les photographies d'un album de famille. Je me demandais qui avait connu Staline: ceux qu'il a tués, ceux qui se sont fait tuer en l'adorant, ses suiveurs, ceux qui l'ont maudit, ses familiers?

Je regarde les images et j'entends les voix de l'époque, de l'enfance et de la vie clandestine. Je vois la photographie d'un joli garçon doué, Joseph, qui a seize ans et qui est au séminaire; celle d'un jeune homme de vingt-trois ans, avec une petite barbe romantique, qui a choisi d'être clandestin et révolutionnaire professionnel. Il est tombé amoureux d'une Catherine Svanidzé, dont l'image est très belle, qu'il épousera deux ans plus tard et qui mourra tuberculeuse... On entend, en écho, les propos, qui ne sont pas apprêtés par le culte, de ses camarades d'école et de combat, Iremachvili,

Gogokhia... plus tard la voix de Lénine qui parle du « miraculeux géorgien ».

Les années passent, et les images. Je m'arrête à celle de Nadiejda Alliloueva, qui sera la seconde femme. Elle a seize ans, un visage attentif et tendre, un ruban dans les cheveux. Après 1917, Staline entre dans l'Histoire de façon discrète d'abord, puis avec éclat. Les portraits, les voix se désaccordent: Lénine l'apprécie, mais s'inquiète de la goujaterie et du sang, et veut qu'on l'écarte. Trotski le méprise et le hait. Mais il a des amis, des fidèles.

Jusqu'en 1932, l'iconographie traduit une vie privée. Les familles des deux épouses, les Svanidzé, les Allilouev, les pique-niques à la campagne, les enfants Basile et Svetlana sur un banc avec la fille de Boukharine, les intimes, Iénoukidzé, Kirov, Budu Mdivani, Vorochilov. Je ne trouve pas l'image de Béria, l'ami géorgien qui sera à la fois l'historiographe et l'âme damnée. Dans l'album je vois, le tournant, la photographie pirandellienne des deux amis Kirov, et Iénoukidzé devant le cercueil de Nadia, l'épouse suicidée. Puis ce sont les derniers liens fragiles avec la vie: la photographie de Joseph Staline, de dos, courant avec sa fille Svetlana dans les bras... Enfin sur un bateau de la mer Noire, auprès d'un Kirov qui va mourir quelques mois après, un Staline au visage différent jouant avec Svetlana en col marin.

L'album est à sa fin. Après 1935, le vent en disperse les images: les enfants sont écartés, les familles, belles-sœurs et beaux-frères sont envoyés aux camps, les amis tués. Il ne reste plus que le portrait officiel, maquillé pour faire affiche, tiré à des millions d'exemplaires. Il ne reste plus, dans le silence, que la voix de Staline devenu son propre thuriféraire.

Aujourd'hui on jette bas le monument. On le détruit à Prague, à Berlin, à Moscou. Devant les décombres, il faut tenter de comprendre, sans passion, ce qu'était Staline, de comprendre aussi qui a fait Staline.

Staline est mort, mais les univers concentrationnaires sont toujours à notre porte, à l'Est comme à l'Ouest, pour l'esprit comme pour le corps. Quand j'ai entrepris, il y a deux ans, une première esquisse dans mon essai *Les Grands,* j'ai été trompé par les amis comme par les adversaires. La prudence, la complicité ou la haine mettaient un rideau de silence ou d'affabulation. Chacun était mécontent parce que le personnage n'entrait pas tout entier dans son système ou dans sa prévention, et Staline devenait un alibi pour ou contre le communisme.

Il ne faut pas refuser le débat sur des questions élémentaires. Le communisme est-il là malgré Staline? Grâce à lui?... Staline a-t-il fait Stalingrad? Stalingrad s'est-il fait sans lui? L'humour soviétique se pose ces questions. Il circule aujourd'hui à Moscou une de ces anecdotes que permettent les temps nouveaux. Avant de débaptiser Stalingrad, ville de Staline, pour l'appeler Volgograd, ville de la Volga, les présidents décident d'envoyer un télégramme à Staline pour avoir son avis. Est-il au ciel, est-il en enfer? Le télégramme l'atteint. Il répond: «D'accord», signé Joseph Volguine.

Il faut aussi chercher les sources. Staline n'est pas

un phénomène spontané né de Staline. Il est le fruit d'errements. Il a été accepté, adoré, au moins comme une nécessité. Ceux qui l'ont adoré hier, le condamnent aujourd'hui. On s'étonne de ce texte admirable qui s'appelle *Une Journée d'Ivan Denissovitch,* et qui nous rapporte, avec l'autorisation de Nikita Khrouchtchev, ce que Staline faisait des hommes. Ceux qui ont voulu être aveugles, ou qui nous ont menti, ne nous disent pas que ce mensonge est le leur, qu'ils se sont prosternés devant le monument pour ne pas nuire à leur religion, leur sécurité ou leur paresse. Et les autres qui jubilent aujourd'hui, parce qu'ils pensent atteindre le communisme au travers du stalinisme, n'avouent pas qu'ils ont fait Staline, qu'ils l'ont rendu quasiment inévitable, en refusant l'évolution, en assiégeant la révolution – comme ils l'ont fait encore en Algérie ou à Cuba – en maintenant des régimes et des mœurs qui frustrent l'homme du fruit de son travail, de la répartition des biens, du progrès de l'esprit, et qui le condamnent à la violence et à la guerre.

Il faut se souvenir du culte, des scènes que l'on a vécues soi-même et que tant d'autres ont vécues, en les acceptant: un banquet en 1949 dans l'immense salle Saint-Georges au Kremlin, la salle des colonnes blanches aux inscriptions d'or, au fond de laquelle, Staline, entouré de dignitaires, soupe, figure de Musée Grévin protégée par les sbires et par une hiérarchie outrecuidante... Amsterdam en 1952 où se déroule une Assemblée de la Paix: sur la place de la Gare où vont arriver des délégués soviétiques, une troupe de jeunes filles, saines et rieuses, danse une ronde folle en scandant:

« Sta-line... Sta-line. » On est là, je suis là, gêné, angoissé, mais entraîné, le cerveau lavé comme dans une convention républicaine à New York ou dans un congrès à Moscou où des milliers d'hommes rythment leurs applaudissements. Envoûtement des foules entrées en religion : et toutes les religions, qu'elles s'appellent catholicisme au X$^e$ siècle ou marxisme au XX$^e$, même quand elles sont le fruit d'une révolte d'amour et de sagesse, risquent, quand la dignité et la liberté de l'esprit sont contestées, de finir en rituels qui conditionnent l'homme, en frénésie qui l'aliène.

Le monde communiste pendant trente années, de 1926 à 1956, a soutenu inconditionnellement l'œuvre de Staline, a suivi inconditionnellement la pensée de Staline. C'est ce soutien inconditionnel qui doit être mis en cause plus que Staline lui-même. Cet absolu, comme l'habitude qui en découle d'admettre l'infaillibilité des dirigeants, est loin d'être entièrement dissipé aujourd'hui. Il ne suffit pas que la critique, et sa contrepartie l'autocritique soient exercées à mi-voix. Il faut que la critique ou la tendance, clairement exprimées, ne soient pas l'objet d'injures, de menaces physiques ou morales aux hommes qui les expriment. Il ne faut pas non plus que le mea-culpa des chefs se fasse sur la poitrine des dirigés.

Nous sommes tous responsables.

Staline, personnage shakespearien, est à la fois Bolingbroke, Richard III et Macbeth. Mais l'atrocité des rois – du roi Jean au roi Richard III – ne débouche sur rien et n'a d'objet que l'exercice et la satisfaction du pouvoir. L'atrocité stalinienne garde pour objet le communisme. Elle laisse en place un système qui, débarrassé de sa cruauté et de son schématisme, de l'idolâtrie et des dogmes, de leur contrainte, pourrait élever la condition humaine plus certainement que ne l'a fait un siècle de capitalisme, marqué par les grandes guerres, le désordre économique, un accroissement de la multitude sous-développée sur une terre enrichie par les progrès de la science et de la technique.

Dans les temps modernes, avec leurs dimensions et leurs masses, les heures et les mois de Shakespeare durent des années. Héritier de Marx et de Lénine, Staline doit se définir aussi. Il mettra plus de dix ans à obtenir que les autres candidats se confessent et abandonnent. Dans *Richard II* la scène des aveux est une scène des procès de Moscou. Le prétendant Bolingbroke-Staline dit: «Il vous reste à lire ces accusations, ces crimes graves, commis par votre personne et vos familiers contre l'Etat et les intérêts de ce pays, afin que par cette confession la conscience de tous soit convaincue que vous êtes justement déposé...» Et Richard, déposé, répond avec la voix de Boukharine: «Mes yeux sont pleins de larmes, je ne puis rien y voir. Et pourtant l'eau amère ne les aveugle pas, au point qu'ils ne puissent voir ici un tas de traîtres! Oui, si je tourne mes regards sur moi-même, je me trouve traître comme le reste...» Après les dix premières années, pendant vingt ans Staline se dira, comme Macbeth: «C'est une marche sur laquelle je trébucherai, ou bien que je dois sauter...» Sauter, c'est tuer encore. Pourtant il n'a même plus besoin d'ordonner le meurtre. Son appareil, ses

Northumberland, ses Exeter, ses Iagoda, ses Béria sont là. Il n'a qu'à penser tout haut, à exprimer un doute pour que les hésitations soient levées, que les hommes meurent, un Kirov, un Redenss, un Iénoukidzé, un Toukhatchevski, et sans que l'on puisse savoir à qui attribuer les crimes. Bolingbroke se contentait de soupirer : « Il est bien gênant cet homme-là. »

Staline inspire à la fois la peur et la confiance. On pouvait continuer à mourir en criant : « Vive Staline. Vive le communisme ! »

Une brève analyse du monument, des traits de Staline, de son comportement, hors de toute dialectique, peut contribuer à éclairer l'Histoire.

Staline est un Géorgien, un nationaliste géorgien dont la famille sort à peine de la servitude. Ce n'est qu'après la guerre de 1941, qu'il deviendra, pour répondre à son destin de Tsar du communisme, un nationaliste grand russien.

S'il est parmi les opprimés, les offensés, il n'est pas un ouvrier, ni un prolétaire. Il a pour vivre le produit de son imagination. Il a les mains blanches. L'adolescent choisit le métier de révolutionnaire professionnel. Il sera l'employé de la révolution avant d'en devenir le maître. Sa ruse et son courage sont à toutes épreuves. Il n'aime ni écrire, ni parler. Il se méfie des intellectuels, des esthètes, des bavards... aussi des émigrés et des juifs. La conspiration et la vie secrète de sa jeunesse marqueront son âge mûr et son gouvernement, comme elles marquent le comportement de tous les clandestins du monde. Une fois la révolution faite, le bureaucrate

Staline entreprend la mise en place de l'appareil dont il sera le pivot. Il est prudent et patient. Quand on l'attaque, la riposte, fût-elle à long terme, est implacable. Il lui faut choisir une voie révolutionnaire qui n'est pas assurée à la mort de Lénine. Staline est assuré seulement qu'il doit être, dans cette voie, le grand inquisiteur.

Staline appréciait et admirait Lénine. Pour lui, la plume s'arrête quand il s'agit d'employer le mot aimer. Lénine d'une famille heureuse d'aristocrates libéraux, Staline offensé dans sa jeunesse nourrie au séminaire d'hypocrisie et de superstitions religieuses, sont opposés par le caractère et les mœurs, bien plus que par les idées. Staline est pénétré de Marx, sous condition d'en faire un catéchisme et d'en tirer une dialectique – au besoin spécieuse – qui justifie les voies choisies et les actes accomplis. Ses objectifs restent ceux de Marx et de Lénine, mais poursuivis par des moyens monstrueux.

Il est abrupt et tyrannique dans sa famille comme dans la vie publique. Il méprise les hommes et son humour est noir. Il joue du sarcasme et de la surprise. En 1938, dans un comité, il avise Khrouchtchev qu'il connaît parfaitement: «Qui êtes-vous? Qu'est-ce que vous faites là?» – «Je suis le camarade Khrouchtchev, membre du Bureau politique.» – «Non, je vous connais, vous êtes un communiste polonais...» Et c'est l'intervention de Iejov qui met fin à cette scène surréaliste.

Staline n'aime pas l'étiquette, l'apparat, les rites, peut-être même l'adulation, mais ce sont les moyens nécessaires du pouvoir et du culte. Il se complaît à la solitude, aux plans et aux statistiques. Il lit beaucoup, voit de moins en moins. Il est fruste comme le régime. Un général américain un peu mondain, John Dean, s'étonne, en 1944, que l'antichambre qui précède son bureau et où il tient conférence, sente toujours le chou, avec les meubles pauvres, le drap vert, la carafe d'eau et les verres... S'il est austère, il a des appétits, les besoins de sa forte nature, comme tout homme. Il les satisfait, mais ces appétits sommaires ne l'entraînent jamais au sentiment, à la passion.

La guerre lui ouvre des horizons nouveaux. Il découvre l'échantillonnage d'un autre monde, diplomates, experts, chefs d'Etat et ministres... aussi une nouvelle algèbre qui lui permet d'exercer ses dons de logisticien. Il aura l'algèbre des usines, des prisonniers, des tués, comme il a eu en 1938 l'algèbre des ennemis du peuple.

D'avoir surmonté les erreurs et les défaites, d'avoir imposé sa puissance aux peuples et aux grands lui donne une nouvelle assurance. Après la victoire, il retourne à la solitude, il s'y enfonce. Il entre dans un autre âge, dans une survie. Engourdi, obsédé, les artères endurcies, il est à la fois méfiant et crédule: « Vous avez aujourd'hui le regard fuyant... Ce frère, on m'a dit que c'était un ennemi, il n'a que ce qu'il mérite... » Au contraire d'autres révolutionnaires, cruels par nécessité, mais qui ont le cœur, ou la confiance dans l'homme – comme un Dzerjinski ou un Kirov – il méprise les hommes.

Son rêve est historique. Les multitudes, le bruit, l'agitation le troublent. Il prendra Chostakovitch en

22

grippe pour avoir été dans sa loge assourdi par les cuivres d'une symphonie. Sans doute est-il apaisé dans sa retraite à Kountsevo, devant la nature, entre les livres, les statistiques, les rapports, les propos inachevés et secrets de son secrétaire le plus sûr, le général Poskrebyshev, ou d'un Béria ou d'un Malenkov. Dans sa maison, couvert d'un vieux manteau, il se déplace d'est en ouest, suivant le soleil sur les trois terrasses. En même temps que l'Absolu, il est la réalité objective. Et son apocalypse a dégagé un monde nouveau dont il est le Grand Mécanisme.

J'ai cherché, dans l'*Encyclopédie soviétique,* les éléments qui pourraient m'aider à compléter ou à corriger les traits. Je n'en ai guère trouvé. Cette encyclopédie est un monument stalinien achevé en 1956. Les gens y sont classés par catégories : l'homme grand, Staline, les éminents, les importants, les notables sans adjectifs qualificatifs. Les méchants n'y sont pas. C'est l'histoire d'une religion, de ses prêtres et fidèles. Les schismes et les hérésies y sont mentionnés. Mais les schismatiques, les hérétiques, les traîtres et les victimes – aussi bien un Boukharine qu'un Trotski, le général Blucher que le metteur en scène Meyerhold – n'ont pas d'existence légale, ne sont pas au répertoire.

Il faudra de longues années pour annuler cette œuvre, la refaire, comme il faudra de longues années pour effacer les mœurs que le dogme a installées dans la vie publique. La tâche a été entreprise. Une note a été envoyée en son temps, à tous les souscripteurs de l'encyclopédie. Elle les invite à coller sur le portrait de

Béria la carte de la mer de Barentz. Un supplément est paru en 1958 où sont entrés en masse les réhabilités renommés. Le XXᵉ Congrès est venu et le XXIIᵉ. Mais ce n'est pas fini. L'encyclopédie nouvelle, celle de 1960, reste un outil de combat et non un outil de connaissance. On remet Toukhatchevski mais on efface Molotov, Malenkov... D'où viennent-ils? Quand sont-ils nés? Qu'ont-ils fait pendant quarante ans? On ne le saura pas.

Staline: pour un prix si lourd que reste-t-il? Un émigré, un prince dont les ancêtres étaient les compagnons d'Ivan le Terrible, de Pierre le Grand, des Alexandre et des Nicolas, qui a pu revoir son pays et qui ne s'y réinstallera pas, considérant l'œuvre accomplie dans les souffrances excessives et les barbaries inutiles, me disait:

– Nous avons été responsables de cette folie de l'Histoire, comme les anciens maîtres sont presque toujours responsables des folies d'une révolution. Je suis russe, je suis fier aujourd'hui de mon peuple et de mon pays.

Après le prince, la prudente *Encyclopédie britannique,* parlant du premier ministre, généralissime et dictateur, nous dit qu'il a trouvé son pays avec des charrues de bois pour le laisser avec des piles atomiques.

Il ne s'agit pas de cela: cela ne pourrait satisfaire. Il y a l'Histoire qui va son train, l'admirable peuple russe, le communisme et Staline. Il ne faut pas tout mêler.

Le corps de Staline a disparu. Dans la chapelle de granit (d'où l'on retirera, un jour, espérons-le, le corps de Lénine pour la paix de son esprit), on a retiré l'apparence de Staline. Reste à tuer l'esprit stalinien. Après dix années d'efforts qu'ont entrepris des hommes – et au premier chef Khrouchtchev – la tâche n'est pas accomplie. On se pose la question: le stalinisme peut-il ressusciter?

Le culte de la personnalité n'est qu'une petite part du problème. Il ne faut pas que le stalinisme soit un alibi. Si le communisme a eu sa maladie infantile, que Lénine a appelée le «gauchisme», il a eu aussi, il a encore sa maladie sénile, la bureaucratie et son dogmatisme. Il ne s'agit pas de cette bureaucratie telle que nous l'entendons à l'Ouest, la routine administrative, la paperasserie, le sommeil de l'esprit: il s'agit d'une nouvelle classe destinée par profession à diriger l'Etat socialiste, cet Etat où il y a trois classes: l'appareil, les communistes, les sans-parti. Staline n'a fait que donner un style particulier, un style atroce à cette maladie du pouvoir socialiste. Ce mal est devenu grave quand le marxisme a cessé d'être une discipline critique pour devenir la doctrine d'un parti au pouvoir. La bureaucratie soviétique (avec ses appendices dans les partis nationaux) n'est pas un phénomène stalinien, c'est un phénomène social dont les sources sont pour une part dans le communisme, pour une part dans le caractère ethnique russe.

A la vérité, la maladie du pouvoir, son cancer, n'est pas un phénomène soviétique, c'est un phénomène universel dont les manifestations sont différentes suivant les systèmes. Nous sommes aux temps du césarisme, un césarisme qui, sous forme monarchique ou oligarchique, s'étend au monde entier. Des multitudes harassées par la complexité, le développement des problèmes et des projets qui échappent de plus en plus au commun des hommes, se réfugient dans le césarisme. Au siècle de l'image et du son, ces multitudes veulent donner un visage, une voix, un corps aux formules. Et les Césars portés par elles, consacrés par une religion, délivrés d'une démocratie si difficile à exercer et qui n'a pas trouvé ses moyens et ses institutions modernes, ces Césars, ces Grands, livrés à leur génie, sont tour à tour Caligula ou Marc-Aurèle, ou Tibère bon et mauvais à la fois.

Mais pour ce qui est de l'expérience communiste – avec ses excroissances – que reste-t-il de mieux, et pour l'espoir? Dans la chair du capitalisme, l'aiguillon communiste qui l'a contraint à évoluer. Même s'il n'a pas reçu le coup de grâce, le colonialisme a fait son temps. Une planification s'entrevoit et s'impose, avec un humanisme social qui subordonnera les intérêts privés, les intérêts de classe aux intérêts de la société des hommes. Le communisme a posé plus fortement et plus clairement le problème des guerres. Aujourd'hui la guerre peut reculer. Excepté pour les conflits locaux ou les guerres d'indépendance, le problème de la guerre et de la paix s'inscrit tout entier dans les rapports du communisme et du capitalisme. L'ère atomique, le crime de 1945 ont acculé les deux systèmes au choix entre leur disparition ou leur aménagement. La guerre les condamnerait l'un et l'autre. Ils le savent. Le temps des croisades est fini. On imagine, au moins plus sérieusement qu'en 1930, le temps de la coexistence, de la coopération. Une osmose est possible. C'est l'époque d'un progressisme, des Jean XXIII et des Khrouchtchev – si différents soient-ils – qui combattent à leur façon le manichéisme, et qui, quoi qu'on en dise, peuvent concilier le communisme et le christianisme...

Mais s'il fallait désigner d'un trait l'œuvre positive, son progrès, je dirais la connaissance... non pas la connaissance des dogmes, des philosophies, des mécanismes politiques (nous n'y sommes pas), mais la connaissance de toutes les richesses – spirituelles et matérielles – élaborées par l'humanité. Un intellectuel français un peu dédaigneux disait un jour à Ilya Ehrenbourg: « Dans le domaine des lettres, pendant ces quarante années, vous n'avez pas produit grand-chose... Où sont les Pouchkine, les Tolstoï, les Tchékhov? » Après un silence, Ehrenbourg répondait: «Nous n'avons pas eu le temps encore, nous avons fait des lecteurs...» Et ces lecteurs ne lisent pas tant le *Ciment* ou tel catéchisme, mais par millions, Tolstoï, Shakespeare, Hugo et les livres de science et les livres techniques. S'ils n'ont pas encore à leur disposition toutes les voies – il ne s'agit pas seulement du jazz et de l'art abstrait, mais de toutes les recherches qui peuvent enrichir l'homme – au moins défilent-ils aujourd'hui par centaines de milliers, ouvriers et paysans (comme on ne le voit pas au Louvre), devant les vingt-deux kilomètres des trésors d'art à l'Ermitage de Léningrad; et ils entendent par millions, Bach et Prokofiev. Malgré Staline, malgré le dogmatisme des dirigeants qui assurent pourtant aujourd'hui qu'ils veulent combattre le dogmatisme, les portes de l'esprit s'ouvrent à des dizaines de millions d'hommes. C'est une nouvelle jeunesse.

Si l'on a confiance dans l'homme c'est le trait le plus important. Ceux-là qui pensent qu'il faut retrouver au-delà de l'humanisme du citoyen un humanisme de l'individu, ne peuvent désespérer: la connaissance, la culture feront éclater les vieux dogmes et les schémas qui paralysent le socialisme.

Un ami communiste discutant de cette préface concédait: «Il faut laïciser le communisme.»

I

Voilà un homme qui meurt, adoré de millions d'hommes, craint et haï de millions d'autres. Les uns allaient au combat se faire tuer avec son image sur la poitrine, les autres dans des camps ou des logements n'osaient même plus évoquer son nom et sa puissance qui pouvait à chaque instant les priver de vie ou de liberté. Il meurt, idole vénérée ou blasphémée. Et le sentiment qui prévaut est la consternation, l'égarement, parce que disparaît une clef de voûte qui tient un monde en place.

Natacha, l'émigrée balte, monte chez moi ce jour-là, à Paris. Elle n'a eu pour lui depuis dix ans que des paroles de haine. Elle se jette sur mon lit et pleure. Comme je m'étonne elle dit: «Que va devenir ma Russie?...» Le Pape appelle aux prières; Nehru, l'homme à la rose, s'afflige; Néguib d'Egypte dit: «Le Maréchal qui fut un grand homme et qui était aimé de deux cents millions d'habitants mérite la bénédiction de Dieu...» De Washington, appréciant l'opinion des adversaires politiques de Staline et de la presse mondiale, le correspondant du plus grand journal français câble: «Ils pensent que la planète n'a rien gagné à sa disparition...» Venant des maisons où règnent le silence et la crainte, des centaines d'hommes et de femmes meurent en se pressant pour aller saluer sa dépouille. Le drapeau des Nations Unies est mis en berne, tandis que le secrétaire général rappelle «les qualités qui faisaient de Staline un des plus éminents hommes d'Etat de notre temps».

## La Géorgie

A quatre mille kilomètres de notre monde occidental, Paris, Londres, un petit peuple, les Géorgiens, de deux ou trois millions d'hommes, très tôt constitué en nation, jouera pendant plus de deux mille ans un rôle important dans l'Histoire.

Dans les temps reculés, les hommes, cherchant la terre, vont d'est en ouest, des hauts plateaux de l'Asie vers le Moyen-Orient, la Méditerranée. Sur le chemin, il y a une marche, un territoire de passage entre l'Asie, l'Europe et l'Afrique, serré entre deux mers intérieures, la Caspienne et la mer Noire, c'est un territoite couvert par les hauts monts du Caucase, où cohabitent aujourd'hui trois Républiques soviétiques, l'Arménie, l'Azerbaïdjan et la Géorgie.

Le pays d'une grande beauté, au climat généreux, aux plaines fertiles et riches en ressources minérales, est une terre de mythes et de légendes: à l'un de ses pics Prométhée fut enchaîné, l'arche de Noé s'y posa sur le mont Ararat, les Argonautes et Jason viennent y chercher la Toison d'Or. Il fut traversé par ceux que certains savants appellent les Asianiques, qui se répandent en Mésopotamie, et dans ce Proche-Orient, berceau de civilisations successives qui aboutissent au Christ. Des enfants de Japhet, troisième fils de Noé qui aima le vin, refoulés de Mésopotamie, seraient venus s'y installer. Les rois géorgiens s'appellent David et prétendent être issus du roi David qui tua Goliath. Au XIII$^e$ siècle, la Géorgie aura une des plus grandes reines du monde, de beauté et de sagesse fabuleuse, Tamara, et de grands poètes. La langue est mystérieuse, apparentée au basque ; le pays est appelé Colchide, de la fleur de colchique, ou Ibérie qui prête son nom à l'Espagne. Les Géorgiens et quelques autres disent qu'il est le plus beau du monde. On y place le Paradis terrestre. Xénophon et Hérodote s'y intéressent. Les Perses, les Romains, l'Islam cherchent à le soumettre. Il est balayé, asservi par les Mongols. Son nom arabe signifie pays des esclaves. C'est une mauvaise image. En trois mille ans, le peuple géorgien n'a été réduit, assimilé par aucun autre, bien qu'Alexandre, Pompée, les Turcs, Gengis Khan puis les Tsars l'aient tour à tour conquis. Son esprit national n'a pas fléchi. C'est là que l'on trouve encore, depuis la chute, les plus nombreuses images de Staline.

## L'enfance

Staline dont on raconte que Lénine disait: « C'est Gengis Khan qui aurait lu *Le Capital* de Karl Marx », est de cette race. Quand il naît, le servage a été aboli en Géorgie depuis quatorze ans seulement. C'est un pays de castes. Les Russes sont là, déconcertants, à la fois débonnaires et cruels, sans système. Le Tsar règne par son satrape, le prince Galitzine. Gori a six mille habitants. Le père Vissarion Djougachvili est cordonnier. La mère fait de la lessive et de la couture. L'un des seuls chroniqueurs de l'enfance, qui soit sans parti pris, Gogokhia, décrit la maison en torchis et en brique, la chambre de cinq mètres carrés, une petite fenêtre, une petite table, un tabouret et un large divan, une espèce de lit pliant, une natte de paille... La mère, Catherine Ghéladzé, est belle, énergique et pieuse. Elle a mis au monde trois enfants avant d'en sauver un, Joseph: c'est un fils unique. Le portrait que l'on a d'elle à la fin de sa vie en 1937 est de patience infinie et d'entêtement. Assise sur un banc, dans la résidence des vice-rois de Géorgie, dans sa coiffe et ses vêtements noirs de nonne, les mains jointes sur le ventre, elle est à l'image de toutes les nourrices sacrifiées. Mère du nouveau Tsar, elle n'en pense pas moins. Elle est à la fois fière et fâchée. Elle est restée avec Dieu: elle eût préféré son fils pope.

Il est trop aisé d'expliquer la patience de Staline, sa dissimulation, sa défiance par les seules conditions sociales, les cruautés d'un père, la misère de la mère. Son enfance n'a pas été plus malheureuse que celle de tout fils d'ouvrier ou de cordonnier de cette époque. Il avait, jeune, un entêtement et un caractère peu communs. Malgré le bas de l'échelle, la petite vérole, la maladie infectieuse et les taloches, l'amour de sa mère l'a fait beau et fort. A l'école religieuse de Gori, il est l'un des esprits les plus agiles de sa classe, dont il sort premier avec une bourse d'étude complète. Le père est mort; Catherine, pour qui c'est un couronnement d'avoir un fils pope, le met au séminaire de Tiflis. A cette époque d'oppression tsariste et d'injustice sociale, les séminaires sont, autant sinon plus que d'autres écoles, des pépinières de la révolution. Il y complète son apprentissage de patience et de ruse, dans un long duel contre l'hypocrisie religieuse et la mainmise russe. Il est servi par une mémoire étonnante et son ardeur à éclipser dans les jeux et les leçons les fils des riches.

Sur son carnet scolaire, le surveillant mettra qu'il a été treize fois surpris à lire en cachette, qu'il a un abonnement dans une bibliothèque populaire, qu'on lui a confisqué *Les Travailleurs de la Mer*, qu'on a dû, pour le punir, l'enfermer en cellule pour une longue période. Ses auteurs préférés sont Gogol, Tchékhov, Hugo, Thackeray et Balzac. Il cultive ses sentiments dans *Les Ames mortes, La Foire aux Vanités, Quatre-vingt-treize,* et ses effusions dans Pouchkine. S'il aime danser, vider la jatte de vin, chanter – d'une voix qui enchante aussi bien les moines dans les chants d'église que les camarades dans les chants populaires – il s'exerce aussi à la poésie. A seize ans, il envoie, sous le nom de Sosselo, ses poèmes géorgiens à la revue *Ibéria*.

> *Le bouton de rose s'est épanoui*
> *S'entremêlant à la violette*
> *Il la tient embrassée.*
> *Le muguet s'éveille*
> *Et salue le petit vent...*

> *Fleuris, beau pays,*
> *Réjouis-toi, Géorgie,*
> *Géorgien, par ton travail*
> *Rends joyeuse ta patrie.*

... Après le poème à la rose et à la patrie, le poème à la lune et aux opprimés :

> *Grande est la providence du Tout-puissant.*
> *Lune, souris tendrement au monde.*
> *Chante une berceuse pour les hauts glaciers*
> *Qui semblent suspendus au ciel.*
> *Souviens-toi que l'homme à terre, l'opprimé*
> *Un jour se lèvera au sommet*
> *De la montagne pure.*

... Enfin le poème de la déception, de la populace qui refuse la vérité :

> *Dans ce monde comme un fantôme*
> *Il allait de porte en porte*
> *Une lyre à la main*
> *Il en tirait des sons exquis*
> *En mélodies pleines de rêve.*

> *Comme un rai de soleil*
> *On entendait la vérité*
> *Et un amour céleste.*
> *La musique faisait battre*
> *Les cœurs pétrifiés*
> *Et rendait à beaucoup*
> *Une raison*
> *Depuis longtemps perdue.*

# SUR STALINE

*Mais en place de gloire*
*En entendant la lyre*
*La populace offrait*
*Au voyageur*
*La coupe empoisonnée*
*Lui disant : Bois*
*Et sois maudit.*

*Nous ne voulons*
*Ni vérité*
*Ni mélodie céleste.*

Les grands sentiments, que son tempérament obstiné et ambitieux ne peut séparer d'une entreprise, le conduisent à l'activité clandestine, au mouvement révolutionnaire. Au séminaire, circulent les cahiers des frères Mouraviev, célèbres au temps des décembristes :
    – Est-ce Dieu qui a choisi l'autocrate?
    – Dieu dans sa bonté ne peut causer le mal.
    – Dieu aime-t-il les Tsars?
    – Non. Ils sont maudits comme l'oppresseur. Dieu aime l'homme.
    Dans cette Géorgie, saturée de haine contre la Russie, le Tsar, et une religion temporelle à leur service, Staline cheminera d'un christianisme social à Darwin et à Karl Marx. Ils le conduiront aux groupes clandestins socialistes, qui se multiplient. Un jour il adhère au plus actif, au plus extrême, le troisième Groupe «Messame Dassy», fondé en 1893, après les premier et deuxième Groupes d'intellectuels et d'aristocrates libéraux.
    Il est surpris lisant des livres défendus à des groupes

d'étudiants. Il proteste contre les fouilles répétées, il est grossier, disent les rapports. En mars 1899, expulsé du séminaire, il entre dans la révolution, et choisit le nom de Koba, héros géorgien d'un roman populaire, insurgé contre la Russie.

## L'insurgé

Pour cette époque, les seules sources auxquelles on peut se fier jusqu'à un certain point sont des photographies, des fiches ou des rapports de police, quelques souvenirs de camarades géorgiens, écrits sans passion ni complaisance, avant que Staline ne soit devenu l'idole : ainsi les mémoires d'Iremachvili publiés à Tiflis en 1923, Iremachvili, ami d'enfance et adversaire politique.

Koba a vingt ans : il a une grande moustache, la barbe du clandestin, le cheveu noir et rebelle. Son visage concentré au front bas, ses belles mains, ses grands yeux sémites de héros proustien, lui donnent l'air romantique. Mais en quelques années les traits s'accusent : un regard rusé, une force froide. L'intellectuel devient un terroriste sous la casquette. La police dira qu'il mesure un mètre soixante-huit, qu'il a le visage marqué de variole, le deuxième et le troisième doigt du pied gauche joints, et l'aspect extérieur ordinaire.

Petit employé à l'observatoire de Tiflis, Joseph Djougachvili saute le pas en 1901, il entre dans la clandestinité, et devient un révolutionnaire professionnel. Cette année-là il fait son premier discours de rue, organise les grèves, rencontre Kournatovski, émissaire de

Lénine, lance un défi aux autorités pour le 1er mai, publie le premier numéro d'une feuille clandestine *La Lutte* et son premier essai sur la révolution.

... La charge des cosaques à la cravache et au sabre, les blessés, l'échappée après la première collision sanglante de mai l'exaltent.

Au cours de ces quinze années qui précèdent les dix jours qui ébranlèrent le monde, Koba sera un véritable Abrek, un de ces hors-la-loi géorgiens, pillards et patriotes dont le combat contre l'oppresseur est toute la vie. Quand il ne sera pas en prison, ou déporté en Sibérie, en 1902, 1908, 1909, 1910, 1912, 1914, il sera toujours – à part quelques brèves missions – à Batoum, à Bakou, dans son pays. Obstiné, intelligent, ambitieux, il n'est ni orateur, ni démagogue: il pèse les mots et les transforme en actes. Son but, la révolution, justifie toutes les ruses, toutes les cruautés. De celles-ci ni de celles-là il ne semble éprouver aucune jouissance, aucune jubilation. Il est prudent, s'exprime difficilement: il aura un estomac d'acier, un cœur de pierre. Quand, à Batoum, en mars 1902, il entraîne les ouvriers à la grève et à la manifestation, il est dans la foule près des blessés et des morts. En 1905, à Tiflis, quand on l'appelle Bars-le-léopard, il va de puits en puits jusqu'à la cave où l'on imprime les journaux clandestins.

A Batoum, Bakou ou Tiflis, cités industrielles ou pétrolières, la classe ouvrière, le prolétariat s'organisent et tiennent tête. Koba revenant de déportation en Sibérie, le visage et les oreilles un peu gelés, opte pour Lénine après la scission entre bolcheviks et menche-

viks. Il rencontre les chefs, les grandes figures révolutionnaires qui sont dans le creuset du Caucase : Léonid
Krassine, Kamenev, Kalinine, Kournatovski, Allilouev... Krassine dit le Cheval, ingénieur, organisateur
et diplomate, qui a l'amour des hommes, est dans la
hiérarchie le second après Lénine... Kournatovski, l'animateur et l'émissaire, sera l'un des héros de la révolution
de 1905 ; Kamenev, vice-président du premier gouvernement soviétique ; le serrurier Kalinine, président de
la République ; Allilouev deviendra le beau-père de
Staline.

C'est l'année des grands troubles, des désastres de la
guerre russo-japonaise : le défilé pacifique du prêtre
Gapone à Saint-Pétersbourg accueilli par les coups de
feu des gardes du Tsar, la foule décimée, la révolte, à
Odessa, du cuirassé *Potemkine,* l'assassinat du grand-duc
Serge, la vague de grèves et de barricades, la naissance
des premiers soviets. A l'étranger les révolutionnaires,
les socialistes sont en pleine querelle, partagés en bolcheviks, majoritaires, menés par Lénine, et en mencheviks, minoritaires, groupés autour de Martov. Ils sont
surpris par l'ampleur spontanée de la révolution. Ils
cherchent la tactique. Trotski, menchevik franc-tireur,
hésite entre les tendances. Tribun de vingt-cinq ans,
orateur étonnant, on l'appelle Plume. Il appuie contre
les hésitants le maximalisme de Lénine qui est en
Suisse. Quand la grève générale éclate à Pétersbourg,
il accourt seul de Finlande, au champ de bataille, pour
prendre en main le premier soviet. C'est un ténor isolé
qui fait une répétition de 1917. Il doit déposer les

armes. Et dans un discours inspiré, devant la cour martiale, il préconise le droit à l'insurrection armée avant d'être envoyé en Sibérie. Il trouve la première gloire.

## Le bolchevik géorgien

Staline, lui, le bolchevik qui a donné son adhésion à Lénine, n'est qu'un petit chef provincial, dont le nom ne retentit pas en dehors de sa province. Il est dans la rue, il dirige les groupes qui abattent les policiers. Les Cent Noirs, terroristes du pouvoir, que le Tsar a lancés sur le Caucase, deviennent des cadavres aux carrefours.

Après la révolte populaire de 1905 vient le vent de répression, la période des basses eaux. Les groupes clandestins sont épuisés. Le Caucase est une région pilote. En quatre années il y aura mille deux cents actes de terrorisme. Comme dans tous les mouvements révolutionnaires, comme dans le mouvement clandestin français sous l'occupation, on trouve des activistes et des attentistes. Staline est actif. Animé par Lénine, dirigé par Krassine, il organise la guérilla et l'expropriation.

La période est romanesque, le dogme mal établi. Staline entreprend ses premiers voyages aux conférences et aux congrès.

C'est à Tammerfors en Finlande, en décembre 1905, qu'il assiste pour la première fois à une conférence nationale et qu'il rencontre pour la première fois Lénine. Lénine admire les hommes forts du Caucase que l'on appelle les chevaux. Staline, tantôt Koba, tantôt

Ivanov, a vingt-six ans. Il écrira: «*Je m'attendais à voir l'aigle des montagnes, un géant. Et voici que j'aperçois un homme très ordinaire, plus petit que moi, un commun des mortels.*» ... Il intervient abruptement, joue les paysans du Danube, tient tête à Lénine. Lénine reconnaît que les Caucasiens ont raison. Il est l'objet d'une ovation. L'année suivante Staline va à Stockholm et à Londres. Certains inventent qu'il s'arrête quelques jours à Paris où il s'appelle Totomians, et où il va voir la Tour Eiffel et *La Dame aux Camélias.*

A Paris, le petit homme Lénine, avec son chapeau melon, sa bicyclette et sa barbiche, arpente les trottoirs de la rue Marie-Rose et tient séance dans les cafés du XIV<sup>e</sup> arrondissement avec sa compagne inlassable Nadia Kroupskaïa. Il n'est pas encore l'homme de la faucille et du marteau, mais l'homme du petit bouleau, du bouleau russe qu'il chérit comme un fétiche. Il est à la fois la théorie et la flamme.

Le Congrès de Londres, en avril 1907, est un événement, un des grands rendez-vous de la révolution. Staline n'a pas le droit de vote, parce qu'il ne représente pas le nombre de voix requis. Il trouve là tous les grands: Lénine, Trotski qui vient de s'évader de Sibérie, Krassine, les chefs mencheviks Plekhanov et Martov, les futurs compagnons Zinoviev, Kamenev, Vorochilov, Tomski. Gorki, le héros, qui vient de publier *La Mère,* et qui a fondé, avec Lounatcharski, le Mouvement des «Chercheurs de Dieu», tandis que Lénine repousse Dieu, est là, indiscuté de tous, même de Staline qui l'épouvantera vingt ans plus tard.

C'est la première rencontre de Staline et de Trotski. La vedette ne distinguera pas le petit provincial, vêtu de noir avec un cordon en guise de cravate. Il se souviendra seulement, peu de temps avant sa mort, de l'avoir rencontré à Vienne en 1913. Il a vu alors chez un de ses collaborateurs un homme grêlé qui entre sans frapper, grommelle, se sert du thé au samovar et sort sans mot dire. Trotski note l'expression « appliquée et terne », l'éclat d'animosité dans les yeux jaunes. Staline, lui, a bien vu le héros à l'église de la Fraternité, au Congrès de Londres : un intellectuel, un juif, un prophète à la lèvre sensuelle et aux cheveux en broussaille, qui condamne les groupes de combat et méprise les Géorgiens. Il appellera Trotski le « *magnifiquement inutile* », et le décrira comme un « *bateleur brouillon aux muscles creux* ». Il se défie des philosophes, des juifs, des émigrés : « *L'émigration n'est pas tout. Elle n'est pas le principal. Le principal c'est l'organisation du travail, en Russie, parmi nos amis.* » Il se sent gauche et fort, et cache son sentiment dans le silence et l'application. Il lui faudra trente années pour détruire Trotski, le juif errant.

Staline retourne en Géorgie, à ses brigades de combat que Lénine approuve et que Trotski réprouve. Krassine, l'ingénieur – le cheval de Troie dans le camp adverse – qui dirige le bureau technique du Comité central pour la lutte à main armée, conçoit et fournit les moyens. Staline, l'agitateur, organise. Il se montre si secret, si rusé, que l'on contestera volontiers son rôle. Pourtant les quelques souvenirs de partisans géorgiens, publiés à Tiflis en 1923, ne laissent pas de doute. Le héros des opérations est un Arménien de Gori au visage d'acteur niais, Kamo, qui deviendra légendaire. Le 26 juin 1907, huit hommes et deux femmes attaquent le convoi de la Banque d'Etat de Tiflis et s'emparent de trois cent quarante mille roubles. Les mencheviks enragent, dénoncent le banditisme. L'action continue : Lénine force le destin, fonde le Parti bolchevik russe, et forme un nouveau Comité central auquel Staline est coopté.

## Pétersbourg, voyages et Sibérie

En 1911, Staline vient s'installer à Pétersbourg, après sa troisième évasion de Sibérie où sous les coups de crosse, sachant dormir tandis que l'on emmène le voisin pour le pendre, il a su parfaire son endurance et son insensibilité. Ces temps du tsarisme et de l'Okhrana sont moins cruels que ceux qui suivront, ceux des dictatures, de la Gestapo et du Guépéou. Si la répression est brutale, primitive, elle n'est pas systématique mais souvent familière et inefficace.

Jusqu'à la révolution il partagera son temps entre Moscou, l'étranger, les prisons et la capitale où il assumera des responsabilités nationales. Depuis trois ans il grogne contre les dirigeants émigrés, « éloignés de la réalité russe », réclame un journal national et le transfert du centre dirigeant en Russie. Il gagne. Après avoir été coopté à un Comité central composé de Lénine, de Zinoviev, d'Ordjonikidzé et d'un agent provocateur polonais Malinovski, il parle au nom de la direction nationale, fait l'éditorial du premier numéro de *La Pravda*.

Il entreprend le plus long voyage de sa vie, six mois

à l'étranger. Lénine le retient à Cracovie. Le maître a quarante-deux ans, l'élève trente-trois. L'estime commence, réciproque. Ils s'opposent sur les questions agraires et débattent du problème des nationalités. Lénine écrit à Gorki : «*Quant aux nationalismes, je suis pleinement d'accord avec vous, il faut y prêter plus d'attention. Nous avons ici un merveilleux Géorgien qui est en train d'écrire un long article pour lequel il a rassemblé tous les documents. Nous nous consacrerons à la question.*»

En 1913, le rôle est interrompu; sur dix années d'activité, il y en a eu sept sur les chemins de l'exil ou de l'évasion, dans les prisons ou en déportation. Cette fois, c'est la Sibérie. Il sera déclaré inapte au service militaire à cause de la malformation de son bras. Et il y restera jusqu'en 1917.

Staline n'a pas oublié sa Géorgie et les Caucasiens. Ils sont déjà montés nombreux au nord. On les reconnaît à la désinence «dzé» qui finit leur nom comme un bruit de flèche, ou à la désinence «ian» et «ia»... Les rapports avec une Russie qu'il connaît mal, son combat de dix années, son complexe de Géorgien, cet accent dont on ricane, l'ont poussé à étudier la question des nationalités et de leurs rapports. Il a dessiné une politique d'association des nations, dans un vaste ensemble destiné à ne pas disparaître dans le creuset russe. Il faut aménager la décentralisation nationale avec le centralisme bolchevik.

Selon les cas, il appliquera cette politique avec cruauté ou avec modération. Ce qu'il croit être l'intérêt immédiat de la révolution, de son appareil, l'emportera tou-

jours sur les principes. C'est le même homme qui, en
1917, viendra donner l'indépendance à la Finlande
bourgeoise, et qui mènera quatre ans plus tard la
répression contre les Géorgiens et les Ukrainiens récal-
citrants. Il est le mécanicien implacable, bien loin de
Lénine qui dira alors: «Davantage de douceur, de prudence... Appliquez dans vos Républiques non la lettre
mais l'esprit...»

Comme Napoléon, le Corse devenu français, puis européen, Koba, le Géorgien, deviendra russe et puis soviétique, pour assurer la direction des peuples associés.

### Les sentiments

Staline a quarante ans quand il aborde la révolution
et le pouvoir. Dans les vingt-cinq premières années qui
vont de l'adolescence à la maturité, que connaît-on de
ses mouvements du cœur et des sens?

Au contraire de la plupart des Géorgiens, de son ami
Iénoukidzé qui est un sensuel et un sentimental, il est
fermé, réservé, puritain pour l'extérieur au moins, il
déteste les histoires scabreuses: s'il les vit c'est dans des
apartés de corps de garde. Sa forte nature, celle d'un
loup, n'éclate que rarement. Bien dominée, elle ne
deviendra au cours des années, qu'un moyen de théâtre,
chez un personnage historique, le dieu de la révolution
qui s'appartient de moins en moins.

S'est-il jamais appartenu? Il a eu pourtant sa part –
petite peut-être – d'amour, de joies, de vie humaine.

Auprès du père équivoque, sa mère l'adore et veille. Elle prie pour lui: il la respecte. Il aime aussi Catherine Svanidzé. Si l'on juge au seul portrait de famille que l'on a gardé d'elle, Catherine est d'une étonnante beauté. C'est une vraie Géorgienne qui sera soumise à Dieu et à son mari. En 1904, celui qu'on appelle le Grêlé, qui vient de s'évader de Sibérie et qui est un homme traqué, décide de l'épouser. La mère de Catherine n'aime pas Joseph mauvais garçon et prédit le malheur: mais la promise est enceinte. Les deux mères très orthodoxes veulent l'église et le pope. Malgré les risques, il y aurait eu, dit-on, à Gori, la cérémonie géorgienne: les cloches qui sonnent; les amis en costume caucasien qui entourent un homme court en veston sombre avec un vrai chapeau; le cousin pope qui passe les anneaux; les enfants qui chantent: «*Allah Verdi*[1]... Gloire à vous. Diable va-t'en, ta place n'est pas ici. Tout œil haineux déplaît à Dieu...» La soirée de noces se serait terminée chez Budu Mdivani, prince ou pas, dans ce pays où les bergers sont princes...

Parlant de cet épisode d'amour, Trotski ergote et se fâche, incrédule, parce que ce Staline ne répond pas au sien. Mais qui croire: tant de faux mêlés au vrai. Dans un livre, un soi-disant neveu de Staline, émigré en Amérique latine, Budu Svanidzé, raconte la scène avec une vision d'enfant et d'une façon vraisemblable. Koba le Grêlé et Mdivani le prince dansent face à face la danse des poignards. Il n'y a pas de prince, pas de prolétaire: seulement la violence et la fraternité cauca-

[1] Dieu a donné.

siennes dans une patrie sans cesse menacée par l'oppresseur russe : «Nous sommes les libérateurs d'une Russie
impériale, prison des peuples...» Et Koba chante
l'hymne des Abrek, les hors-la-loi :

> *Réveillez-vous, mes frères endormis,*
> *Réveillez-vous mes frères, car c'est l'heure,*
> *Fermez en vous les volets sombres*
> *Sur le souvenir de vos rêves.*
> *La nuit qui meurt n'était qu'une imposture.*
> *Nous allons au rendez-vous avec la mort.*

Par malheur, il semble bien que Staline ne dansa pas
et que Budu Svanidzé n'ait jamais existé. Il serait le
fruit de l'affabulation d'un diplomate soviétique Besse-
dovski, qui sauta le mur de la rue de Grenelle – l'ambassade soviétique – en 1930, et devint un agent américain en quête d'argent. J'ai couru moi-même naïve-
ment après ce Budu, et par chance, un jour je suis
tombé sur le vrai, Ivan Svanidzé, qui n'a jamais quitté
la Russie et n'a jamais écrit sur son oncle.
Pourtant la légende rejoint, à certain moment, la
vérité. La nuit qui meurt n'était qu'une imposture. En
1937, le prolétaire était devenu despote, et Mdivani –
prince ou pas – mourait dans les prisons du despote.

Iremachvili a raconté cette première romance et sa
fin : la tuberculose, la séparation du fils Yacha, la mort
de Catherine. «*Elle servait de toute son âme son mari.*
*Passant d'innombrables nuits en ardentes prières, attendant*
*Joseph lorsqu'il partait en réunion secrète... Staline cet homme*

*intérieurement si inquiet, qui se sentait à chaque pas et à chaque geste surveillé et poursuivi par la police du Tsar, ne trouvait l'amour qu'au misérable foyer familial. Du mépris qu'il portait envers tous, il n'excluait que sa femme, son enfant et sa mère...»* Et Iremachvili prête à Koba, devant la tombe au cimetière, ces paroles : « Elle adoucissait mon cœur de pierre. Avec elle sont mortes mes dernières tendresses pour les hommes.»

Dans l'été 1911, les temps de Géorgie sont finis. Revenant d'une déportation, Staline tourne dans Pétersbourg. Il frappe à la porte d'un vieux compagnon des années de Tiflis, Sergueï Allilouev, qui travaille dans les ateliers de réparation de locomotives sur les bords de la Néva. Il est accueilli par Olga, l'épouse, et par les deux petites filles, Anna et Nadia. Il aura encore deux brèves années de liberté, interrompues par une prison et une déportation, coupées de voyages à Vienne et à Varsovie. Il dirige *La Pravda,* et s'attache Skryabine qui deviendra Molotov. Il est pourchassé : les agents, les moutons sont partout, même au Comité central.

L'inconnu entre, vêtu d'un chapeau mou et d'un manteau noir. Il n'aime pas s'asseoir longtemps, il se promène de long en large. Il a un humour grossier, du sarcasme. Mais c'est le révolutionnaire intrépide : les deux filles l'écoutent et l'admirent.

En mars 1913 il ne revient pas. A une matinée musicale au profit des caisses d'assurances ouvrières, une singulière femme, enveloppée dans une pelure, voilée d'une capuche est arrêtée : c'est Staline, dénoncé par le mouton du Comité central Malinovski. On l'envoie à

Kostino, sur le Cercle polaire. Malinovski, en qui Lénine a confiance, le suit comme une ombre: «Nécessaire de surveiller déporté Djougachvili, se trouvant à Kostino. Habite avec Jacob Sverdlov. Fréquente Catherine Delivska. A l'intention de s'évader...» On le transfère à cent kilomètres plus loin au nord du Cercle, à Koureika. Il dira un jour à sa fille Svetlana qu'il garde de ce temps un souvenir paisible et presque heureux: livres et journaux, chasse et pêche, dans un désert glacé ou brûlant mais sain. Il aime la solitude que troublent seulement les brefs palabres d'une population primitive et amicale. Sverdlov, son compagnon, nous le décrit: «*Je n'ai même pas de lit à moi. Nous sommes deux. Il y a avec moi le Géorgien Djougachvili, une vieille connaissance, avec qui je m'étais trouvé pendant une autre déportation. C'est un bon garçon. Mais beaucoup trop idéaliste pour la vie quotidienne. Il est le désordre fait homme, ce qui est bien caucasien. Je m'irrite et on se querelle...*» Ils finissent par se détester. Après trois années, le solitaire, l'ours, est bien près d'être harassé par le gel et la solitude. Au mur des engins de pêche et de chasse, la table couverte de livres, à la lueur d'une chandelle, Staline écrit à Olga Alliloueva: «*J'ai reçu le colis, merci. Je vous demande seulement une chose. Ne dépensez plus d'argent pour moi, vous en avez besoin vous-même. Je serais content si de temps en temps vous m'envoyiez des cartes postales avec des paysages. Dans ce maudit pays, dans cette nature affreusement aride, ma nostalgie des paysages – fût-ce sur le papier – va jusqu'à l'abêtissement. Mes amitiés aux filles... Je suis bien. Je suis accoutumé au climat... Il y a environ trois semaines il a gelé à quarante-cinq degrés au-dessous de zéro. Respectueusement. – Joseph.*»

II

*La Révolution*

Au cours des neuf mois de 1917, de mars à novembre, où la révolution sera enfantée, Staline est à la fois effacé et présent. Il n'a pas la renommée: c'est un homme sans séduction, à la parole brève, à l'écriture pesante, l'homme de l'appareil.

Dans cette période de confusion, chacun se méprend sur les forces en présence, révolutionnaires divisés, socialistes modérés qui ne croient pas à la révolution mais à un aménagement, classes possédantes qui hésitent entre le libéralisme et l'autocratie. L'incident, l'accessoire font et défont l'événement, et disloquent l'analyse dogmatique. Mais si les voix sont incertaines, s'il y a flux et reflux, la révolution est là parce qu'il y a un peuple excédé, des ouvriers, des paysans, des soldats déchaînés. Et la révolution aboutit parce qu'il y a un parti – fût-il une infime minorité – forgé par vingt années de luttes clandestines, animé par un homme exceptionnel dont la conception, la passion et l'énergie s'imposent: Lénine.

Le 15 mars, le Tsar abdique. Il n'a fallu que quelques jours pour que se fasse la première révolution. Le 10, il y a cent cinquante mille grévistes, le 11, la foule marche avec des drapeaux rouges, le 12, un régiment de la garde se mutine et la garnison de Pétrograd, presque entière, passe à la révolution. Les pouvoirs sont répartis entre le gouvernement provisoire du prince Lvov et de Kerenski, une chambre, la Douma, un soviet de travailleurs et de soldats. Saint-Pétersbourg, la capitale, est un désert, les bolcheviks sont dépassés par les événements, les chefs ne sont pas là. Trotski est à New York, d'autres en déportation, Lénine en Suisse. Il est en avance sur tous, il pressent que les ouvriers, les soldats, le précèdent encore. S'il admet une voie pacifique, il repousse la République parlementaire, la poursuite de la guerre; il dénonce l'équivoque menchevik, et appelle la minorité à l'action. A Zurich, il a dit: « *Si la révolution ne se mue pas en une Commune de Paris victorieuse, elle sera étouffée par la réaction et la guerre.* »

Du fond de la Sibérie, les déportés rentrent. De Krasnoïarsk à Tomsk et à Perm, ils sont fêtés. Ils ne savent pas grand-chose de la situation. Au matin du 13 mars, trois d'entre eux arrivent en gare de Pétersbourg: Kamenev, Mouranov, et Staline. Accueillis comme des chefs attendus, ils sont hésitants. Entre les modérés qui veulent soutenir le prince Lvov, et les radicaux menés par le jeune Molotov, qui veulent combattre le gouvernement provisoire, Staline, considéré comme l'émissaire, joue les conciliateurs. Tacticien qui partage le désarroi, il est sensible au sentiment de la plupart qui n'envisagent pas une prise de pouvoir insurrectionnel et considèrent les propos de Lénine comme des chimères.

Le 3 avril Lénine arrive. En gare, une foule le salue, plus fervente et plus ferme que les dirigeants. Il s'attendait à être arrêté, il est accueilli par un orchestre, des ovations, une *Marseillaise,* et entraîné dans le salon d'attente impérial. Avec son melon et les fleurs, il paraît interloqué et docile, mais son esprit fort et vif a tout saisi. Au débotté, dans la nuit et le lendemain, il expose son programme au parti et devant le Soviet: les fameuses thèses d'avril viennent comme la foudre. Il dénonce ceux qui veulent pactiser avec le gouvernement provisoire, les sociaux-démocrates souillés, les bolcheviks modérés. Il ne rencontre que sarcasme ou consternation. Mais quand il s'adresse à la rue, des millions d'hommes – ouvriers ou soldats – sont bouleversés. Il proclame le communisme. Il entraîne.

En mai, Trotski rejoint et accepte le rôle de second. De tous, il parle et écrit le mieux: tribun sans troupes mais idole de la foule, il est l'espoir des marins et du Soviet. Staline se montre moins, parle moins. Moins glorieux, il fait ce que Trotski nomme avec dédain le travail de routine. Il a surmonté ses hésitations. Lénine le trouve toujours là, messager fidèle, organisateur infatigable des groupes bolcheviks. Il s'impose.

Le flux pousse d'avril en juillet. Un déchaînement prématuré de la rue amène le reflux, les journées de juillet, la riposte bourgeoise. Les généraux contre-révolutionnaires ont partie liée avec Kerenski qui va de palinodie en palinodie. Les chefs sont dispersés, Trotski et Kamenev arrêtés, Lénine recherché. Il loge chez Allilouev avec Staline qui l'entraîne, quelques heures avant la perquisition, à la gare maritime, pour qu'il se réfugie aux abords de la frontière finlandaise. Il y restera jusqu'en septembre: Staline, l'homme de confiance, fait le courrier, le va-et-vient entre Pétrograd et la Finlande. Encore une fois il est seul.

En août au VI<sup>e</sup> Congrès, il fait figure centrale, préconise la prise de pouvoir. La rue, les bolcheviks tiennent. La contre-révolution de Kornilov s'effondre. Staline dénonce les ambiguïtés du gouvernement Kerenski; Trotski reprend sa place aux soviets. Au début d'octobre, Lénine revient secrètement. Il veut arracher la décision de l'insurrection. Au Comité central, il y a sur les douze, trois adversaires, trois hésitants, dont Trotski, et trois hommes qui le soutiennent inconditionnellement, Staline, Sverdlov et Dzerjinski. Malgré ses doutes sur la tactique («Nous pensions nous, les praticiens ouvriers, que nous pouvions mieux voir les ravins, les trous et la fondrière de notre route»...), Staline votera et exécutera fidèlement. Par huit voix contre deux, au Comité central secret du 24, Lénine arrache la décision.

Ce sont les dix jours qui ont ébranlé le monde.

*Les dix jours*

Un poète, Alexandre Blok, les a chantés dans *Les Douze*.

> *Sombre soir*
> *Neige blanche*
> *Vents et vents*
> *Aucun homme ne tient*

## SUR STALINE

*Sur ses pieds*
*Vents et vents*
*Dans ce bon dieu de monde*

. . . . . . .

. . . . . . .

*Ils vont d'un pas ferme, les douze*
*— En arrière, une chienne affamée*
*— Au-devant portant un drapeau rouge*
*Invisible et serein*
*Dans la neige en tempête*
*Invulnérable aux balles*
*Et couronné de roses*
*D'un pas doux dans les flocons de neige*
*Au-devant va le Christ.*

Un homme les a décrits, l'Américain John Reed, dans un livre inoubliable et incontesté, parce qu'il a écrit, sans souci de démontrer, les scènes vivantes qu'il a vécues. A Pétersbourg, la contre-révolution n'a été qu'un feu de paille. Les dirigeants dérisoires d'une classe désespérée sont étouffés par la vague des ouvriers et des soldats, des militants bolcheviks, par le ressort des idées simples qui jaillissent: la paix sans annexion, le droit des peuples à disposer d'eux-mêmes, la terre aux paysans, les usines aux ouvriers.

Une poignée d'hommes qu'on appelait les bolcheviks prendra le pouvoir avec une économie de moyens et de sang, avec une facilité qui stupéfie le monde. Toute autorité, toute foi, toute perspective humaine ont disparu chez ceux qui veulent sauver l'ancien régime ou installer une démocratie parlementaire bourgeoise. Si les bolcheviks n'ont qu'un parti de deux cent cinquante mille adhérents, ils répondent aux sentiments obscurs mais profonds de la grande masse. Lénine apporte l'espoir d'un monde d'où serait effacée la course aux richesses individuelles, à la propriété, et à la haine entre les nations... «*A côté de Lénine, immense, ineffaçable, dira Pasternak, s'était levée l'image de la Russie s'embrasant aux yeux du monde comme un cierge expiatoire pour toute l'inaction et toute la détresse de l'humanité.*»

Reed a su peindre l'étonnant tableau de ces jours, de ce peuple partagé entre la bonhomie et la colère cruelle, entre le cœur et la violence, l'humiliation et l'orgueil.

Des rues entières étaient vides, mais soudain, sur certains points, des gens se rassemblaient comme des fourmis appelées par un travail mystérieux. Devant la cathédrale de Kazan, des groupes de marins silencieux et arrogants crachaient des graines de tournesol. Chaliapine chantait, la Karsavina dansait. Les états-majors étaient harassés de débats et de fatigue au Palais d'Hiver et à l'Institut Smolny. Il y avait une liberté et une connaissance nouvelle brûlante, avec des tribunes dans la rue, et les wagons d'imprimés qui déferleront, portant mêlés le catéchisme nouveau et les œuvres de Tolstoï et de Gogol.

### La nuit du 6 au 7

Dans cette nuit du 6 au 7 novembre (les 24-25 octobre du calendrier russe), la partie se joue, entre les longs bâtiments du Palais d'Hiver, et à un kilomètre de là, les coupoles bleues du Smolny. Au palais, le gouvernement, les Junkers, un millier ou deux de soldats et une compagnie de femmes sont déjà des assiégés : Kerenski appelle des troupes, des cosaques qui n'arriveront pas. Au Smolny – l'ancien Institut de jeunes filles, le Saint-Cyr du tsarisme – le Comité central et le Soviet de Pétrograd disposent de la garde rouge – une dizaine de milliers d'hommes armés et encadrés – des marins de l'escadre, des régiments qui rallient. Lénine, que l'on préserve comme la prunelle des yeux et qui a enseigné et bâti l'insurrection, se cache dans la banlieue, de l'autre côté de la Néva. Le soir du 6, il demande Staline. Mais les ponts sont levés, les tramways arrêtés. L'insurrection commence. Avant minuit il accourt au Smolny, met dans sa poche, et pour de bon, ses lunettes et sa barbe. Dans le va-et-vient et la confusion, il saisit tout et décide. Beaucoup ne connaissent pas encore les visages clandestins.

– *Qui vient de parler ?*
– *Lénine.*
– *Comment Lénine ?*
– *Le vrai Lénine ?* [1]

Il a retrouvé Staline, qui est à la fois un secrétaire et un homme de liaison. Au premier étage, dans la chambre 14, le Comité central siège en permanence ; au deuxième étage, le Comité militaire révolutionnaire, organe insurrectionnel investi de pleins pouvoirs. C'est l'affaire de Trotski, président du Soviet de Pétrograd et qui rédige l'ordre du jour Nᵒ 1.

---

[1] Souvenirs de Londarskoï, ouvrier de l'usine Poutilov.

Aux premières heures après minuit, des groupes de soldats et d'ouvriers armés quittent les casernes et les usines, allant vers les gares, les ponts, les bâtiments publics. A sept heures du matin les bolcheviks contrôlent déjà les centraux télégraphiques et téléphoniques, la banque d'Etat, la gare, l'électricité, les imprimeries. Dépassé, Kerenski s'enfuit sous le couvert des Américains: il va chercher au front des troupes qu'il ne trouvera pas. A dix heures, Lénine fait diffuser l'appel aux citoyens: « *Le gouvernement provisoire est destitué... Le pouvoir est aux mains du Soviet des députés ouvriers et soldats...* » ... Dans l'après-midi le palais est assiégé. A dix heures du soir le croiseur *Aurore* et la forteresse Pierre et Paul tirent les coups de semonce. A une heure du matin le 26, tout est fini. Lénine dira: « *Cela a été plus aisé que de soulever une plume.* »

Staline est là, il n'est pas là. Il se déplace comme une ombre. Mais il est sûrement efficace. C'est vingt ans plus tard que la querelle de gloire rebondira. Trotski déclare que le rôle de Staline fut nul, qu'il ne participait pas. Staline expurge le nom de Trotski de toute l'affaire, et le déclare saboteur de l'insurrection. Sur son rôle à lui, photographies et textes sont muets. Les textes seront un peu truqués. On confondra un Centre d'organisation militaire, dont Staline faisait partie et qui n'existera que sur le papier, avec le Comité militaire révolutionnaire dont Trotski est l'animateur. Et la peinture académique se substituera à la photographie, avec un Staline splendide et napoléonien.

Staline, dans ses œuvres, déclare avec impudence : « La révolution n'a pas détrôné seulement quelques autorités... elle ne s'incline pas devant les grands noms. »

Pour les capitales comme pour les régions les plus éloignées, deux noms seulement incarnaient la révolution, Lénine et Trotski, le philosophe passionné mais réaliste, l'acteur puissant et imaginatif. Le nom de Staline est rarement évoqué. Il est l'un des seuls à n'être ni un émigré, ni un philosophe, et à avoir vécu sur le tas la révolte de vingt années. Il est là encore le 8 novembre 1917, l'un des quatre membres de l'Exécutif. Il couche par terre dans une salle de l'Institut Smolny, avec Lénine, Trotski et Sverdlov, au gouvernement. Il a le poste apparemment modeste de commissaire aux nationalités. Trotski est emporté par les tâches des Affaires étrangères, de l'organisation et du commandement de l'Armée Rouge, de la négociation de paix à Brest-Litvosk : cette paix que Lénine qualifiera « *d'obscène mais de nécessaire* » et qui enlèvera à la Russie un quart de sa population d'Europe. Sverdlov est absorbé par les tâches du Comité central. Staline est sans cesse auprès de Lénine, qui répugne aux décisions personnelles et s'inquiète de l'absence de rigueur et du romantisme de tant de dirigeants. Effacé mais efficace, Staline est l'adjoint de Lénine dans les batailles révolutionnaires. Chaque tâche entreprise, fût-elle modeste, accroît son influence.

*Le duel*

Le duel entre les deux rivaux, Trotski et Staline, commence. Si Lénine refuse le rôle de dictateur, Trotski l'universitaire, le petit bourgeois juif, Staline le Géorgien, le fils de savetier, le convoitent tous les deux, l'un pour sa révolution permanente, l'autre pour sa révolution dans un seul pays, qui sera mise en thèse plus tardivement. La querelle s'envenimera au moment le plus grave. Elle se traduit en dialogues haineux, en dénonciations réciproques. Trotski se souvient de Vienne et dit : « Dans ses yeux jaunes et hideux apparaît le même éclat que j'avais remarqué... »

1919 et 1920 sont des années critiques. Comme en 1792 ou 1793 en France, c'est l'assaut de l'extérieur qui fait se lever, dans les étés brûlants de 1918 et 1919, la terreur, dans une révolution jusque-là si ménagère de sang. La grande offensive de l'Occident, l'assaut des armées blanches emporteront-ils la révolution ? Celle-ci ne tient qu'un pré carré de deux mille kilomètres de côté, qui va de Léningrad à Perm et de Kiev à Tsaritzine (futur Stalingrad), assailli de partout. Les Américains sont en Sibérie, les Anglais dans le golfe de Finlande et à Arkhangelsk, les Français à Odessa. Alimentée et soutenue par les Alliés, la guerre se développera sur cinq fronts : au sud Denikine, Koltchak et les Tchèques à l'est, Miller au nord, au nord-ouest Ioudenitch, puis à l'ouest les Polonais.

Lénine, dans son bureau du Kremlin, dirige les opérations. Trotski, le Carnot, l'animateur des armées,

Staline, qui devient un homme de guerre aux talents incontestables, sont au front.

En 1920, de l'hiver à l'été, les armées blanches sont contenues ou défaites. Koltchak, « chef suprême de la Russie », en retraite derrière l'Oural, est fait prisonnier et fusillé, Denikine renonce, Pétrograd défendue par ses ouvriers a tenu contre Ioudenitch. Quand, au seuil de l'été, les Polonais – Pilsudski sous la direction de Weygand, derrière lequel se profile le capitaine de Gaulle – mènent leurs offensives, la contre-révolution est déjà moribonde. L'Armée Rouge, le prolétariat, une partie des paysans ont fait la guerre totale. Malgré les revers de l'Armée Rouge, les victoires polonaises devant Lvov et Varsovie, l'Occident dérouté, divisé, abandonnera. La paix sera signée à Riga. Si elle donne à la Pologne de nouvelles frontières et des millions d'Ukrainiens et de Biélorusses, elle entraîne la fin de l'intervention militaire. La guerre civile se termine par l'effondrement de Wrangel qui s'enfuit à Constantinople.

Les ressentiments de Staline et de Trotski se sont exaspérés dès 1918. Trotski, commissaire à la Guerre, appuyé par Lénine, veut l'amalgame, dans l'armée, des cadres tsaristes et des cadres révolutionnaires. Staline, commissaire politique, qui a sous sa coupe le front sud, freine et se mêle de stratégie. Il est accusé de désobéissance: il accuse à son tour Trotski. Lénine compose, écarte intrigues et querelles.

Plus tard, en 1920, si Staline et Trotski se sont trouvés d'accord de façon éphémère, pour s'inquiéter du jusqu'auboutisme de Lénine, dans l'affaire polonaise et la

ruée sur Varsovie, Staline, avec Vorochilov et Boudienny, désobéissant aux ordres, poursuivra son
opération sur Lvov au lieu d'accourir à l'appui de Toukhatchevski engagé sur Varsovie. Trotski critique
Staline emporté par un goût du renom militaire et de la
conquête. La querelle des deux rivaux rebondira encore
en 1921 quand le Bureau politique et Staline, contre
l'avis de Trotski, décident l'invasion, l'occupation de
la Géorgie et l'impitoyable répression contre les nationalistes géorgiens.

Trotski garde la popularité, la gloire, Staline accu-
mule les pouvoirs. Ils ont tous les deux l'Ordre du
Drapeau Rouge. Ils sortent de la guerre civile dans une
apparente égalité.

Trotski était public, ondoyant et humain: il avait
trop d'idées, trop d'imagination, n'attendait ou ne per-
sévérait pas. Staline éclipsé dans la gloire savait attendre, reculer, persévérer. Ses discours, ses déclarations,
ses articles nous apparaissent d'une étonnante pauvreté.
Paralysé par les foules, les auditoires, les lecteurs, par
l'attention publique en somme, il ne sait pas formuler
sa pensée, il rumine les images, les métaphores les plus
piètres, les plus usées, se réfugie dans son jargon stalinien qui, plus tard, s'imposera à tous les Partis communistes du monde. Mais tous les témoins, des petits
aux plus grands – de Lénine à Churchill – reconnaissent
que sa pensée se formulait aisément et avec force dans
les situations confidentielles, les messages, les conversations, les ordres, pour se traduire en actes.

Il apparaît dès lors aux initiés comme un grand administrateur, un technocrate de la politique, qui savait en outre constituer des équipes d'hommes étroitement soudés dans le mal comme dans le bien.

Trotski a déjà perdu.

## Le deuxième Cronstadt

C'est dans l'une des années les plus noires, 1922, que se fixe son destin. Au Xe Congrès, il se fait le champion du communisme de guerre, de la militarisation du travail, de l'Etat le plus totalitaire. Il sera le héros du dernier drame de la révolution, quand celle-ci, pour se sauver, doit se retourner contre elle-même.

Cronstadt, la ville forte, le grand port militaire dont les cinquante mille habitants, marins, artilleurs, ouvriers ont été l'avant-garde de la révolution, en 1905, en 1910, en 1917... Cronstadt se révolte contre le régime, en mars 1921 : syndicalistes, anarchistes, socialistes opposent les pouvoirs locaux des soviets au pouvoir central bolchevik. Le Comité révolutionnaire provisoire de Cronstadt diffuse les appels : « *A tous ! à tous ! à tous ! Votre cause est juste. Nous sommes pour le pouvoir des soviets et non des partis. Le pouvoir des soviets libérera les travailleurs du joug des communistes...* » Ironie de l'Histoire, il revient à Trotski, qui a été l'idole de ces hommes quatre années auparavant, qui les a nommés « l'honneur et la gloire de la révolution », de les réduire, avec le jeune Toukhatchevski. Trois cent vingt délégués du Xe Congrès montent à Pétrograd pour assister à l'assaut. Il faudra dix jours de combat sanglant.

Ainsi, après avoir détruit la démocratie bourgeoise, il avait fallu rejeter la démocratie prolétarienne avec sa liberté d'organisation et d'expression. Lénine devait dire: « Nous avons été trop loin. » Tandis que Trotski, après des volte-face et des hésitations, s'entête pour le communisme de guerre, l'absorption des syndicats par l'Etat, la militarisation du travail, Lénine recherche le compromis. Et les dirigeants s'accordent pour rendre la main aux syndicats, aux paysans, aux soviets. C'est à l'issue du congrès qu'est décidée la politique de détente, la nouvelle politique économique, N.E.P. Elle est compensée par le renforcement de l'autorité dans le parti, l'interdiction de l'opposition, les premières exclusions.

Staline, patient, toujours un peu à l'ombre, fait les couloirs, prépare les votes, propose les compromis. Il soutient Lénine, la N.E.P. Il s'oppose à l'absorption des syndicats par l'Etat. Il va profiter lentement des mutilations et du silence dans le parti. Et dix ans après, il mettra en œuvre les idées de Trotski – le contrôle absolu de l'Etat, le travail forcé, la centralisation bureaucratique – pour achever la double tâche, la révolution industrielle et la révolution paysanne.

A l'issue du X^e Congrès, Staline élaborera la résolution sur l'unité du parti, surveillera l'application de la nouvelle politique économique. Il cumule le Commissariat au contrôle de l'Etat avec le Commissariat aux nationalités. L'appareil de direction qu'il met au point avec Molotov, aussi bien à Moscou que dans les régions, place les cadres du parti dans ses mains. En 1922, il est nommé secrétaire général du parti, poste nouveau, dont il fera en quinze années le poste absolu. La mort seule pourra le lui enlever.

## Le jugement de Lénine

1922, 1923, 1924 sont des années pathétiques. Après avoir fait face à une guerre civile, alimentée, entretenue par l'étranger, les révolutionnaires sont devant la tâche redoutable de nourrir, d'organiser et d'équiper un pays dévasté, illettré, de cent cinquante millions d'hommes asservis pendant des siècles, épuisés par la guerre internationale et la guerre civile.

Lénine n'a rien d'un dictateur, le pouvoir n'a pas altéré son génie et sa lucidité : il a une confiance illimitée dans l'homme, le goût de la confrontation : il est partagé entre des dogmes socialistes et un empirisme humain que l'on appelle tactique. C'est un véhément et un tendre dont Gorki, l'esprit religieux, a dit : « Illitch aussi doit souvent retenir son âme par les ailes, alors j'ai honte de ma faiblesse... » Lénine déclare : « Qui n'est pas avec nous, est contre nous. » Mais il fait enfuir son ami et adversaire menchevik Martov pour qu'il échappe aux prisons, et il s'interroge : « Est-il possible de rester humain dans une bagarre aussi sauvage ? »

Au seuil du printemps 1922, Lénine, épuisé, pèse le risque de l'anarchie révolutionnaire et de ses utopies (il a écrit deux ans auparavant sa *Maladie infantile du communisme : le gauchisme*) et le risque d'une concentration de pouvoir et d'une bureaucratie qui lui est odieuse.

Il doute, mais il saute le pas : il appuie la candidature de Staline au Secrétariat général du parti.

Usé, malade, il doit s'arrêter. A Gorki, il commence à rédiger ses notes. On les appellera le testament. Sa pensée est elliptique, prophétique. Il fait un pathétique effort pour mettre un terme à la terreur et au désordre. Avec prudence, avec humilité, il cherche à pénétrer les hommes qui, au-delà des dogmes, doivent faire l'histoire : Zinoviev, Kamenev et Staline, les trois consuls qui assurent pratiquement le pouvoir, Trotski le plus populaire dans la révolution, Boukharine le préféré. Kroupskaïa, qui rédige, est intuitive et n'aime pas Staline. Son aversion et les querelles aggravent le jugement déjà réticent de Lénine :

« *Staline est trop brutal : ce défaut devient intolérable au poste de secrétaire général... Je propose aux camarades de trouver un moyen de le démettre de ses fonctions et d'y nommer un autre homme plus loyal, plus poli et plus attentif envers les camarades...* »

Trop tard. Le dernier effort sera inutile : les dés sont jetés. « *Les choses sont chez nous, si tristes pour ne pas dire répugnantes, avec l'appareil d'Etat...* »

En mars 1923 il est frappé de paralysie. Après quelques mois de rémission, il est frappé de nouveau.

*La montée au pouvoir*

Le 21 janvier 1924, Lénine meurt. Le jour de son enterrement, à Moscou, dans un hiver de glace, il y a deux ou trois millions de personnes accourues. Bien peu d'hommes illustres ont été tant pleurés. Le nom de Staline, peu connu – et sa personne – surgissent devant les grandes foules. Il est l'un des porte-cercueil. Il lira le serment de fidélité, la nouvelle bible : « *Camarades, nous communistes, nous sommes une espèce particulière... Il n'est pas de titre aussi enviable que celui de membre du parti dont le camarade Lénine a été le fondateur et le chef...* » Puis vient la litanie : « *En nous quittant, le camarade Lénine nous a ordonné... Nous te jurons... Nous te jurons...* » Il installe le culte. Lénine, embaumé par Sparski, est placé dans le mausolée de la place Rouge. Kroupskaïa, la compagne, proteste : elle sait bien que Lénine eût répugné à cette idolâtrie. Des centaines de milliers d'ouvriers, de paysans qui ont souffert et se sont souvent révoltés contre la tâche et ses moyens, viennent en pèlerinage, reconnaissant obscurément l'œuvre et sa grandeur...

Tandis que Lénine mourait, Staline dominait le XIIIe Congrès. Il dénonçait les six erreurs de Trotski, « patriarche des bureaucrates », et rappelait la résolution de Lénine au Xe Congrès, autorisant le Comité central à exclure ses membres coupables de travail fractionnel. Sitôt Lénine au Mausolée, il se pose en maître et codifie à sa façon le léninisme, dans un catéchisme de phrases arrachées à leur contexte. Chacun s'incline. Une seule se bat : Kroupskaïa.

Trente ans avant, en 1894, Wladimir Oulianov et Nadia Kroupskaïa se sont rencontrés à une fête de Mardi-Gras autour des crêpes et du vin de Crimée. Elle a partagé avec lui trente années de révolution, du mariage en Sibérie dans la déportation, jusqu'au seuil de la mort où elle lui lisait à voix haute *L'Amour de la Vie*, de Jack London.

A vingt ans, Nadia était allée vers le peuple et la connaissance. Peut-être était-elle plus grave avec son visage sérieux d'élève devenue enseignante. Elle est l'épouse aimante et l'esprit suppléant. C'est elle, en mai 1924, au Comité central, qui s'élève contre le silence sur les notes testamentaires. Trotski se tait. Zinoviev et Kamenev volent au secours de Staline. Bajanov, le secrétaire – peut-être partial – de Staline, raconte la scène: «Assis sur les marches, il paraissait petit et misérable. En dépit du sang-froid dont il faisait preuve, on voyait que son destin était en jeu...» Par quarante voix contre dix, le Comité central décide de ne pas publier le testament...

Restent en scène sept acteurs, le Bureau politique: Staline, Kamenev et Zinoviev, les trois consuls dont les deux derniers le sont si peu, Boukharine, Rykov le président, Tomski les syndicats, alliés provisoires, enfin Trotski, encore ménagé, qui va lentement s'enfoncer dans un débat scolastique dont les hommes d'action et les tacticiens se détourneront.

Il ne faudra que quatre années à Staline, usant de la tactique des Horace avec les Curiace, pour écarter les six hommes et assurer sa victoire. Il mène l'opération avec modération, jette les uns contre les autres, se donne les gants du juste milieu et du bon sens. Le 17 janvier 1925, Trotski est destitué de ses fonctions de commissaire à la guerre. A la fin de la même année, le XIVᵉ Congrès écarte les deux consuls, Zinoviev et Kamenev, chassés par Staline qui s'appuie sur Boukha-

rine. Le 9 novembre 1927, Trotski, Zinoviev et Kamenev sont expulsés du parti. Dix-huit mois plus tard,
Staline se retourne contre ceux qu'il appelle les droitiers, Boukharine, Rykov et Tomski. Il dénonce Boukharine comme chef de l'opposition de droite.

Dans les quinze années qui viennent, les six hommes
– divisés, dressés les uns contre les autres par Staline,
l'homme du juste milieu – mourront de mort violente :
Boukharine, Rykov, Zinoviev, Kamenev exécutés,
Tomski qui se suicidera, enfin Trotski, le dernier,
assassiné à Mexico.

En 1927, pour le dixième anniversaire, où en est la
révolution ? La famine menace les villes : les cinq années
de la nouvelle politique économique s'achèvent en
grande crise. Ioffé, le vieux bolchevik artisan de la paix
de Brest-Litovsk, se suicide en laissant une lettre testa-
mentaire qui désigne l'usurpateur et appelle à l'abattre...
Péril des koulaks, péril de la gauche trotskiste, péril de
la droite de Boukharine et Tomski : Staline ne voit plus
qu'un recours, le stalinisme, l'utilisation de la nouvelle
bourgeoisie bureaucratique, docile et peureuse, qui sait
au moins travailler et qui exerce la dictature sur le
prolétariat.

### Un autre Staline ?

Comme il y a eu un Lénine secret qu'ont peut-être
connu Anna sa sœur, ses compagnes Kroupskaïa et
Inès Armand, comme il y a eu un Dzerjinski secret,

chevalier bouleversé, embourbé dans un ministère policier... peut-être y a-t-il eu un Staline secret qu'ont
connu Catherine la mère, Catherine la première femme,
Nadia la seconde et Svetlana sa fille.

A-t-il eu l'âme divisée entre la volonté de puissance,
l'œuvre absolue d'une part, et quelques sentiments
humains, soupiraux secrets sur l'amour et le bonheur?
Y a-t-il eu une dualité? Tout sentiment était-il déjà
félonie avant qu'il n'abolisse sa vie privée, cette petite
ou cette grande part de personne qu'a chaque être
humain?

On ne peut que tracer certains traits.

C'est en 1921 qu'Ivanov, qui deviendra un grand
écrivain, rencontre Staline. Ivanov est un ouvrier typo-
graphe qui s'est jeté dans la révolution par un mouvement du cœur. Il a été conduit à la révolte, comme
certains d'entre nous en 1941 à la vie clandestine et à la
résistance, par la honte et par la pitié. Je lui demande
la première impression qu'il a eue : « Un homme
ordinaire... avec les traits et vêtements géorgiens, les
blousons et les bottes. Pour moi il n'était qu'un autre
révolutionnaire. Il faisait chaud, nous barbotions dans
l'eau d'un lac, il ne savait pas nager. Trois ans plus tard
il m'apparut comme un personnage, nous étions dans
la maison de campagne de Kamenev, la nuit. Je faisais
mes premières armes d'écrivain. On m'avait demandé
de lire à voix haute ma première nouvelle: *L'Enfant*.
Il y avait là, aux bougies, Kamenev, Staline, quelques
autres et deux musiciens. On avait mis à portée de ma
main une bouteille de cognac: le cognac aidant, je sen-

tais qu'ils aimaient ma nouvelle, j'étais heureux. Après la lecture, Kamenev demande aux musiciens une symphonie de Beethoven: on souffle les bougies et on va écouter dehors dans la nuit. Staline était debout à côté de moi. Nous étions envoûtés par la musique. Je sentis quelque chose de lourd dans mes poches, qui n'y était pas auparavant, à gauche et à droite. C'était deux flacons de cognac, et Staline était parti. J'eus rarement l'occasion de le revoir. La dictature vint et la terreur. Je ne pouvais plus écrire: mes livres déplaisaient à l'appareil. Je devins scribe, puis chercheur de pierres semi-précieuses. »

Trois sœurs, trois jeunes filles m'ont fait aussi un portrait de Staline au début de ses pouvoirs. C'est ainsi qu'il m'apparaît dans les souvenirs que je n'ai pas:

1920, Moscou est affamée, pleine de montagnes de neige qu'on n'enlève pas. Une des trois sœurs, Nina, va à son travail, au Département des musées. Elle croise souvent un petit homme noir et moustachu.

– Bonjour... bonjour...

C'est Joseph Vissarionovitch Djougachvili, commissaire aux nationalités, que peu de gens connaissent à Moscou. Nina admire sa femme, Nadiejda, qui est belle et douce.

Au Kremlin, les sentinelles à qui elle montre son laissez-passer, immobiles, le fusil chargé, l'impressionnent. Elle longe le corridor, jaune et voûté, où sont les appartements des commissaires et des secrétaires. A gauche, habite Trotski, qui, quand elle avait cinq ans, jouait avec elle aux gendarmes et aux voleurs. Sa femme est toujours inquiète. Le logement est le plus cossu, le plus vaste avec ses trois fenêtres sur un paysage. En face les deux pièces, où vit Staline, avec les deux sœurs Nadiejda et Anna, sont plus sombres et petites. La cuisine et le restaurant commun sont au fond, après la chambre de Iénoukidzé, le bon vivant, secrétaire du Comité central, qui choie, gâte et fait rire les petites filles.

Ce jour-là, Nina a mal aux dents; elle est allée se faire soigner à l'infirmerie du Kremlin. Elle est dolente, elle frappe à la porte de Nadia. La chambre est vide: les lits étroits des deux sœurs, une table en bois blanc sans nappe, une fenêtre sur cour. Au seuil du petit cabinet, où il travaille et dort, Staline apparaît. Il a des yeux marron aux reflets jaunes, les cheveux plantés bas, le visage grêlé, une certaine roideur dans le buste et les bras, une casquette à visière.

– Nadia n'est pas là?

– Non. Attends. Tu as mal? Est-ce que tu peux boire... bois et ça passera.

Il l'installe pour boire la vodka et manger des crêpes froides. Elle a chaud, la douleur s'en va, la tête tourne. Il pose des questions: « Qu'est-ce que tu fais? » – « Je travaille au Département des musées. » – « Les musées, c'est de la vieillerie... » Elle se souvient d'une voix rauque, du sarcasme, des yeux qui clignent, d'un accent géorgien, du blouson noir et des bottes, des yeux plissés et pénétrants, des silences et de la force. Mais c'est Nadiejda qui l'attire. Elle est paisible, avec des grands traits, la bouche, le nez, les yeux aussi dessinés que ceux d'une vierge de Roublev. Son long cou sur lequel sont posés les cheveux noirs, ses épaules

pleines et tombantes lui donnent, dans une vilaine robe
grise, un port inimitable. Quand Nina lui demande
d'aller au théâtre, elle répond: « Je n'ai pas le temps.
Il faut toujours faire quelque chose pour Joseph, chercher des papiers au commissariat, des livres dans la
bibliothèque, cuire le repas au restaurant. On l'attend,
et l'on ne sait jamais quand il va manger. »

1926. Dans l'ancienne loge impériale du grand
théâtre de Moscou, une fille, une des trois sœurs, était
assise seule: une biche métamorphosée en fille et vêtue
d'un tailleur bleu. Elle était aux aguets, voulant à la
fois être libre, saisie et comblée. Abel Iénoukidzé,
le Géorgien compagnon de son père, le mécanicien
de locomotive, féru de communisme, de poésie et
de femmes, l'avait amenée là. Geltzer, princesse de la
danse, dansait *Gisèle*. Les autres biches et les cerfs étaient
sur la scène. Du parterre montait une odeur d'ours. Le
prolétariat était là, rêvant au temps où il ne serait plus
courbé dans la misère et le travail et où chacun pourrait
s'ébattre. Si mauvais que fussent les temps, dans cet
automne 1926, le rêve n'était plus une chimère puisque
la misère, dans son relent de pain noir aigre et de bottes,
occupait le palais rouge et or, aussi neuf qu'au temps
des Tsars. Le rouge c'est la beauté; dans la langue russe,
les mots rouge et beau ont poussé sur la même racine.
  A la fin du premier acte, Staline entre dans la loge:
la biche et le loup se touchent la patte. Staline demande
des nouvelles du père malade. Dans son uniforme bistre
et ses bottes, avec ses cheveux drus en brosse, ses yeux
qui furètent sous la paupière sans jamais se poser, il lui

paraît fort et rusé. Elle sait qu'il n'y a pas d'espèce animale toute bonne ou toute mauvaise. Comme le montre Prichvine, il y a des bons loups. Celui-là lui fait froid.

La troisième sœur ne m'a dit qu'une phrase : « Quand le nom de Staline était prononcé à notre table, il y avait un silence... », mais c'était encore le temps où Ehrenbourg pouvait publier *Julio Jurenito*, où Maïakovsky pouvait écrire *La Punaise*, et chanter en guise de protestation :

> *Il lèche les mains*
> *Il lèche les pieds*
> *Il lèche le dos*
> *Il lèche plus bas...*

## Nadiejda

En 1917, Joseph Staline a retrouvé Nadia. Il s'est installé chez Serge Allilouev où il occupe la petite chambre – lit de fer, paysage du Causace aux murs – où Lénine s'est caché en juin. Quand il rentre tard, laissant dormir les parents, il réveille les deux filles qui rêvent au grand Lénine et à son compagnon. Elles lui préparent le souper et l'écoutent. Au-dessus de son lit il y avait Tchékhov, Pouchkine, Gorki. Quand il en a fini avec les anecdotes ou les caricatures du jour, il prend un volume, et lit à voix haute des passages de *La Duchesse* ou du *Caméléon*.

Un jour de la mi-novembre, l'insurrection terminée, Staline vient à l'Institut Smolny installer son Commissariat aux nationalités. Il a cinq roubles en poche, une table et deux chaises, et une secrétaire, Nadia. Elle a seize ans, vingt et un de moins que Staline, elle vient de quitter les cheveux longs, le ruban et les leçons de piano. Le 24 mars 1919, au lendemain du VIIIe Congrès – où il a cheminé, étendu ses relations et ses pouvoirs, membre du Bureau politique, commissaire au contrôle d'Etat – Staline célèbre son mariage avec Nadia. Il a pour témoin Abel Iénoukidzé, son meilleur ami, secrétaire du Comité central; elle, le Polonais Redenss, membre de la Tchéka, mari de sa sœur Anna. Ils entrent au Kremlin, dans une de ces petites bâtisses de service, couleur cannelle, un peu délabrée.

Auront-ils trois ans, cinq ans, sept ans de bonheur? Staline dévoré de politique est absent. Nadia qui a l'esprit religieux de la révolutionnaire, comprend: elle ne veut pas être la femme qui attend au foyer vide. Elle veut travailler, elle suit des cours, devient une technicienne. Ce sont des temps romanesques où l'on peut encore avoir quelque ferveur: la neige, le peuple, le Secrétariat central, la succession de Lénine. Nadia a son premier enfant, le fils Basile, puis la fille Svetlana. Mais un mal mûrit lentement: la tyrannie grossière du Géorgien, coupée de tendresse, la cruauté, la souffrance du peuple russe qu'elle partage profondément. En 1926 Nadia n'en peut plus, elle s'enfuit du Kremlin. Avec les deux enfants, Basile et Svetlana, avec la servante Alexandra, elle se réfugie à Léningrad. Mais elle ne tient pas : deux semaines après, elle retourne à sa prison, son devoir et son amour. Quelques années après le suicide, Alexandra la servante, qui garde tous les secrets dans sa tête sibérienne, raconte l'épisode.

Nadia a perdu les illusions de sa jeunesse révolutionnaire. Elle savait que la violence, comme le disait Marx, n'est qu'une accoucheuse qui doit tirer du ventre de la vieille société une société nouvelle et meilleure. Il s'agissait de sauver plus que de tuer. Maintenant, la violence et la cruauté sont un système. L'auteur, c'est l'homme qui occupe avec elle l'appartement du Kremlin : une antichambre assez vaste sur laquelle donnent les deux chambres de Svetlana et Basile, la salle commune ; à gauche, la chambre monacale de Staline ; à droite, écartée, la chambre de Nadia.

Au dîner d'anniversaire de la révolution, le 8 novembre 1932, il y a eu une grande querelle publique. C'est devenu une fable assaisonnée par les amateurs de sensation. Nadia bouleversée s'est sauvée. Elle est rentrée dans le petit appartement, s'est enfermée dans sa chambre. Staline tard dans la nuit est allé dans la sienne. Au matin, poussant la porte de Nadia, les deux servantes, Alexandra et Carolina, l'ont trouvée morte, étendue sur son lit : et, auprès, le petit revolver que lui avait donné un jour son frère Paul.

On tournait autour de la morte, on écartait les enfants, on prévenait les proches, mais on mit un long temps avant de réveiller Staline. Iénoukidzé et Kirov sont bouleversés. On montre une dernière fois le corps, avant la mise en bière, à Svetlana apeurée. On parle d'appendicite. Puis c'est le cortège dans les rues de Moscou, derrière le corbillard traîné par des chevaux. On voit entre les hautes statures de Iénoukidzé, le parrain, et de Redenss, le beau-frère, figés dans leur manteau, à hauteur des hanches, le visage blanc de Basile le fils. Staline n'est pas là.

Qui peut savoir son sentiment... Ses proches disent la colère: « M'avoir fait cela à moi. » Son absence traduit cette irritation, comme les décisions des jours qui suivent. La maison de campagne qui a abrité les années de famille est fermée, l'appartement du Kremlin aussi. On déménage, on aménage la maison de Kountsevo, qui sera la retraite de Staline jusqu'à la fin de sa vie. On installe dans un nouvel appartement du Kremlin les enfants et les servantes: mais Staline n'y logera pas, il ne viendra là que pour les repas. La page de la vie privée est tournée.

# ALBUM DE FAMILLE

*Staline au séminaire.* – Joseph Djougachvili, futur Staline, est d'une famille de serfs. Il n'a pas le génie de Lénine, l'imagination de Trotski, dont les familles sont déjà parvenues. Il a une force de caractère peu commune et une mémoire exceptionnelle. Il entre à quinze ans au séminaire de Tiflis. Il y découvre, dans la contrainte de la piété et de l'esprit policier, sa vocation de révolutionnaire professionnel. Son refuge est la lecture, ses goûts, l'histoire et la logique.

*Catherine Ghéladzé.* – Catherine Ghéladzé meurt à quatre-vingt-un ans, en 1938. Elle est enterrée dans le cimetière des rois David à Tiflis. Elle a épousé en 1874 Vissarion Djougachvili, cordonnier. On dit qu'elle a été très belle : on la compare à la reine Tamara. Sa piété est exemplaire. Après deux enfants qui meurent en bas âge, elle a Joseph. Gogokhia, le camarade d'enfance, écrit : « La mère de Joseph gagnait un maigre salaire à faire des lessives et à cuire le pain dans les maisons riches de Gori. Il fallait payer un loyer d'un rouble et cinquante kopeks par mois. C'était parfois au-dessus de ses forces. » Joseph est un enfant sage et renfermé qui ne pleure jamais. Sa mère est fière qu'il ait une bourse pour l'école de théologie de Gori. Il faillit mourir de la variole. A treize ans, selon Iremachvili, il dit : « Tu sais, on se moque de nous, Dieu n'existe pas. » Quelques années plus tard Catherine doit tromper les gendarmes lancés à la poursuite de Joseph. Bien qu'elle regrette que Joseph ne soit pas devenu pope, elle est fière qu'il soit un patriote géorgien.

Toute sa vie elle restera fidèle à son fils et à son Dieu.

*Catherine Svanidzé.* – Ce beau visage est l'image unique que l'on a d'elle. On retrouve ses traits dans ceux de son fils Jacob. Catherine Svanidzé est un objet de légende.

On dit que Joseph Staline (Koba ou Bossochvili ou Ivanovitch) s'est caché tour à tour chez Serge Allilouev, dont la compagne Olga vient d'accoucher de Nadia, qui sera la seconde femme, puis chez les Svanidzé où il fait connaissance de la nièce Catherine.

Staline a vingt ans ; Catherine dix-sept, sans doute. Ils s'aiment. Il est déjà entré dans l'ordre des révolutionnaires professionnels. Casquette et blouson noir, il vient à la sauvette. Trois ans plus tard, en 1904, il l'épouse au retour d'une déportation... Et trois ans encore, pour qu'elle meure de pneumonie dans l'année où elle a mis au monde Jacob. Selon Iremachvili, Staline, accourut au cimetière et se touchant la poitrine dit : « Là-dedans, c'est devenu si vide... »

Les Svanidzé sont d'esprit religieux, les femmes pour Dieu, les hommes pour la Révolution.

*1929 : pique-nique à Sotchi : Joseph Staline, Nadia sa femme, Vorochilov et sa femme.* — Sotchi, perle de
la côte caucasienne, aux environs encore un peu sauvages, est le lieu de vacances et de repos.
Klim Vorochilov (le plus populaire des généraux de la Révolution avec Boudienny, le cavalier)
brave sur le champ de bataille, falot en politique, est un familier. Bien qu'il soit troublé parce
que « Staline est toujours prêt à se dresser contre toute règle, toute subordination », il a fait partie

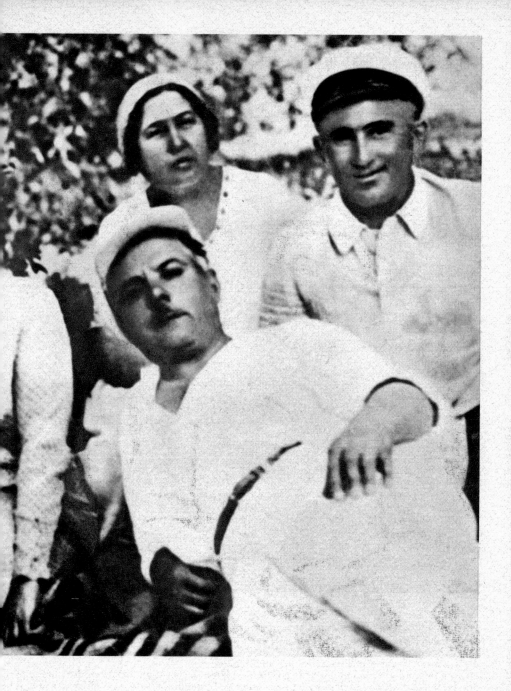

de la caste stalinienne en Ukraine, à Tsarytzine, à Lvov, dans les campagnes de la guerre civile.
Il est bon vivant, aime chanter, danser, et finit par faire ce que lui disent les gens de plus grand
caractère. Il est, en 1935, le premier maréchal rouge. Quand Staline liquide Toukhatchevski et
décime le haut commandement, on dit qu'il se rebiffe puis s'incline. Il aura, jusqu'à la mésaventure
de 1957 – le complot dit antiparti – les plus grands honneurs et les rôles de potiche.

*Jacob Staline.* – Yacha, Jacob, fils aîné, à la mort de sa mère est confié aux parents en Géorgie. En 1919, il termine ses études à Tiflis, où Iremachvili aurait été son professeur. Son père le fait venir à Moscou, où Trotski le rencontre au Kremlin.

Nadia le chérit comme un premier fils. Svetlana et Jacob se chériront. Staline est distant. Après que Jacob eut tenté de se suicider, son père refuse de l'entendre et de le voir. Jacob se marie. Il a un fils, et une fille qui a les traits géorgiens et qui attendrit un peu son grand-père Staline.

Vient la guerre: le colonel Staline est en première ligne en Biélorussie. Il est fait prisonnier par les Allemands. Staline a refusé en 1944 l'échange entre le maréchal von Paulus et Jacob. Avant l'arrivée des Américains qui délivreront le camp, Jacob aurait été fusillé. On ne retrouve pas son corps.

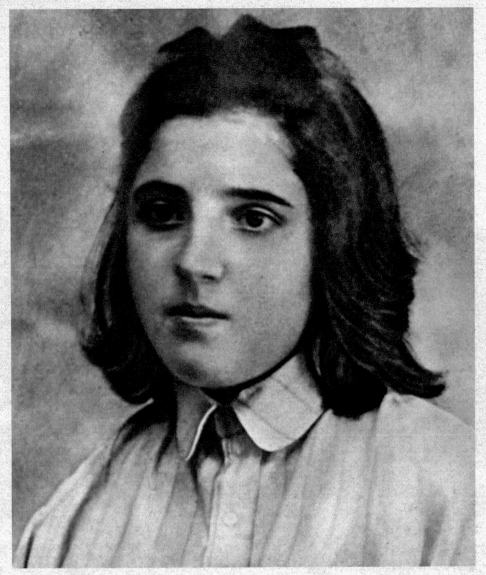

*Nadia Alliloueva à quinze ans.* – Nadia Alliloueva est née au Caucase en 1901, de Serge, Moscovite, et d'Olga, Géorgienne. Serge a hébergé Staline tandis qu'Olga portait Nadia.

En 1901, aux ateliers de chemins de fer de Tiflis, il y a deux ouvriers, Kalinine, le serrurier, et Serge Allilouev, l'ajusteur, qui préparent les grèves. Koba-Staline et Allilouev se sont déjà liés dans le travail révolutionnaire. A Moscou, au printemps 1909, Allilouev rencontre Staline, enfui de déportation et recru de fatigue. Deux ans plus tard, Staline s'installe chez lui, avant d'être ramassé par la police. Puis, en 1917, Staline avec Lénine se trouve encore dans la maison où vivent Serge, Olga et les deux filles, Anna et Nadia. Pavel, le fils, a rejoint l'Armée Rouge. L'année précédente, on a fait faire, chez un photographe aux prétentions anglo-saxonnes, le portrait de Nadia, qui écoute les récits épiques de la vie clandestine et entend lire les lettres qu'écrit de Sibérie le déporté Staline.

Elle est, dit sa sœur Anna, timide, fière et espiègle. Et elle résiste quand Anna veut l'entraîner au croquet ou au tennis parce qu'elle pense que les propriétaires parvenus l'invitent par charité.

*1930. En famille : les enfants (de gauche à droite), Svetlana et Basile, fille et fils de Staline et de Nadia Alliloueva. Basile tient sur ses genoux Svetlana Boukharine, fille de Boukharine. Derrière Svetlana, Alexandra la servante. Debout, Mariko Svanidzé et Maria Svanidzé belles-sœurs. Assise dans le fauteuil, Anna Alliloueva sœur de Nadia. — Alexandre Svanidzé, époux de Maria, et Mariko sont le frère et la sœur de Catherine Svanidzé, première épouse de Staline, morte de phtisie en 1909. Mariko est la secrétaire de Iénoukidzé. Anna Alliloueva, sœur de Nadia seconde femme de Staline, a épousé Redenss, un communiste polonais adjoint de Dzerjinski. Dans les années de terreur, Iénoukidzé et Redenss seront tués, Alexandre et Maria et Mariko Svanidzé mourront dans les camps de Staline. Jacob le fils de Maria échappera, ainsi qu'Anna Alliloueva, après six années de camp. Pour Anna, qui avait écrit ses souvenirs en 1946, Staline disait: «Elle n'a que ce qu'elle mérite, c'est une ennemie.» Alexandre Svanidzé est aujourd'hui un réhabilité post mortem. Staline disait de lui: «Voyez ce fier, il est mort, mais il n'a pas demandé pardon.»*

*A Paris, en 1925.* — Krassine, ambassadeur d'U.R.S.S. en France, vient de présenter ses lettres de créance au Président de la République Gaston Doumergue. De gauche à droite, devant l'Elysée, deuxième Chliapnikov, conseiller, troisième de Fouquières, chef du protocole, Leonid Krassine, Voline, premier secrétaire, et Elansky, deuxième secrétaire.

*A Sotchi, en 1929.* – Les deux sœurs Anna et Nadia Alliloueva, à l'extrême droite Abel Iénoukidzé, le parrain de Nadia.

*Abel Iénoukidzé et Joseph Staline à Sotchi en 1930.* – Les mauvais temps ne sont pas encore venus. Abel Iénoukidzé, le parrain de Nadia, l'ami des enfants, est un des plus intimes. Les frères Iénoukidzé, Géorgiens, sont aussi des révolutionnaires de 1900. Ils dirigent avec Krassine l'entreprise d'imprimerie clandestine à Bakou. Abel a écrit en 1923 ses mémoires, qu'il a remaniés complaisamment en 1929 pour Staline.

Il a grand cœur, n'est pas ambitieux, et n'aime pas tant la politique que la vie. Il tire volontiers d'affaire les gens. Il souffre, grogne, résiste, mais finit toujours par s'incliner. Trotski lui prête ce propos : « Que veut-il de plus ? Je fais tout ce qu'il me demande, mais pour lui ce n'est pas assez. Il veut que j'admette qu'il est génial. »

Il est, dès 1922, secrétaire du Comité central, puis membre en 1928. Bouleversé par le meurtre de Kirov, il signe, sur l'ordre de Staline, le décret de procédure extraordinaire contre les terroristes. Il en sera la victime.

En 1937, Staline le fait abattre par Iéjov, lui, et sa secrétaire Mariko Svanidzé, belle-sœur de Staline.

*Nadia Alliloueva à trente ans.* – Quand Staline, que ses adversaires appellent « Kinto », le vaurien, cherche quelques milliers de roubles et un local – au Smolny d'abord, puis au Grand Hôtel de Sibérie – pour installer son Commissariat aux Nationalités, il est accompagné par une belle fille brune de dix-sept ans. C'est « la camarade secrétaire », Nadia Alliloueva, qui porte les punaises et les papiers pour signaler sur la porte « Commissariat ». Quinze mois plus tard, Staline l'épouse.
Dix ans plus tard elle a perdu son visage triomphant et pris le visage triste de madone empâtée.

*L'enterrement de Nadia.* — Le corbillard et son cortège cheminent du Kremlin à Novodevici, vers la basilique, les églises et les couvents. Staline n'est pas là. Le suicide — et il y a eu tant de suicides dans les dernières années — atteste une opposition. Derrière le corbillard on ne voit pas les grands de l'appareil, qui assistaient à la soirée dramatique du Kremlin, dans la nuit du suicide, mais le

*Staline et Budu Mdivani.* — Les désinences géorgiennes, caucasiennes ont fourni un grand contingent de révolutionnaires et de compagnons de Staline : Iénoukidzé, Ordjonikidzé, Makharadzé, Béria, Mikoyan.

Budu Mdivani a-t-il été un des témoins du mariage de Catherine Svanidzé et du futur Staline en 1904 à Gori ?... peu importe, c'est un vieux compagnon, souvent en querelle pour la façon dont Staline traite les problèmes géorgiens.

En 1922, Staline mène en Géorgie une répression féroce. Lénine note, lui : « Je mène une guerre, non point à vie mais à mort, au chauvinisme grand-russien... » et, « scandalisé par la connivence

visage lunaire du fils Basile. A sa gauche, en longue capote, Redenss, le beau-frère de Nadia, et Iénoukidzé, le parrain, le visage ravagé. Le cimetière est un jardin où les flâneurs viennent le dimanche lire sur les stèles les noms des Lettres, des Arts et de la Société.

de Staline », il écrit à Mdivani : « Je suis avec vous de tout cœur dans cette affaire. »
En 1927, Mdivani s'efforce en vain, au Kremlin, de persuader Staline de la nécessité d'un arrangement avec l'opposition. Trotski rapporte la scène : « Staline l'écoute en silence... puis après avoir été vers le coin le plus éloigné, il se retourna, il s'avança vers Mdivani, et, levant le bras, s'arrêta brusquement. « Ils doivent être écrasés » s'écria-t-il d'une voix terrible... »
A Sotchi c'est la pause. Dix ans plus tard Béria est dictateur en Géorgie. Ordjonikidzé se suicide. Mdivani est condamné, abattu. La seule désinence géorgienne qui restera sera Béria.

*Staline, Svetlana et Kirov sur le bateau de plaisance.* — Ils sont
en vacances, au printemps 1934; en janvier, au Congrès
de la victoire du socialisme, il a été violent, confiant. Il
fait le plus grand dithyrambe stalinien. Mais entre les
discours de Staline et de Kirov, il y a des nuances qui
n'échappent pas aux initiés. Staline brosse un tableau
sombre et annonce les formes de combat et de dictature
les plus dures, Kirov dit: « Les difficultés essentielles
sont derrière vous. »
Sotchi, ses loisirs et ses cures collectives sont la récom-
pense des communistes harassés de travaux et de révo-
lutions, avec sa mer, ses fleurs et ses cyprès. Staline y a
son petit vapeur de plaisance.
Quelques mois plus tard, au matin du 1er décembre, à
l'Institut Smolny, berceau de la Révolution, Kirov sera
tué d'un coup de revolver. Un Nicolaïev, pris deux fois
aux abords et relâché deux fois, a tiré. La population
de Leningrad, dont Kirov est le héros, manifeste sa
douleur. Staline, Vorochilov et Molotov sont accourus.
Le chef des gardes du corps de Kirov est liquidé avant
d'être interrogé. Pourquoi?... les témoins sont fusillés.
L'affaire est si trouble, si mortelle, qu'on risque de ne
jamais savoir. L'ombre de Iagoda, qui semble détester
Kirov, se profile.
Pendant quatre années la plupart de ceux que l'on tuera,
que feront exécuter un Jdanov, un Vichynski, un Iéjov,
on les tuera au nom de Kirov... Et quelques-uns de ceux
qui disparaîtront alors mystérieusement on les imputera
aux assassins de Kirov.

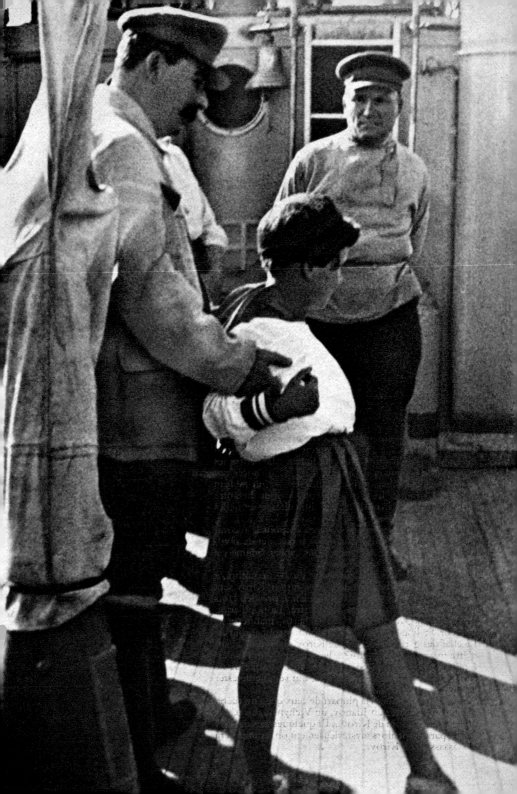

*Svetlana Staline, Staline et Kirov à la campagne.* – Serge Kirov passait pour intrépide et généreux, pourtant il avait été farouche, parfois cruel dans le combat révolutionnaire. Il est beau. On le voit surgir, en août 1917, à trente ans, avant les dix jours : il gagne à la rébellion une partie de la «division sauvage» du général tsariste Krymov. Une année plus tard, il est appelé à faire face à la rupture des trois Républiques caucasiennes avec la Russie soviétique. Puis en 1920, au Conseil militaire de la 11e armée, à Astrakhan, il est avec Toukhatchevski l'un des hommes de la victoire du Sud.

En 1921, au Xe Congrès, le Congrès de la N.E.P. et du drame de Cronstadt, il est suppléant au Comité central, en 1925 suppléant au Bureau politique. En 1930, au XVIe Congrès, il mène la bataille contre les droitiers (Boukharine). En 1934, membre du Bureau politique, secrétaire du Comité central, secrétaire du Comité régional de Léningrad, il est au sommet... On le donne comme dauphin. On raconte que Staline le nomme son frère bien-aimé.

Olga Alliloueva, mère de Nadia.

Sergueï Allilouev, beau-père de Staline (1866-1945).

*Paul Allilouev, beau-frère de Staline.* – Il est l'aîné et le confident de Nadia. C'est un bolchevik généreux au cœur tendre. En 1918, il a été aux armées dans le Nord, pendant le grand assaut de la contre-révolution et de l'étranger.

Après 1932, viennent les années d'accablement, le suicide de Nadia, la terreur. En 1937 et 1938, la famille, les amis sont frappés indistinctement par la police stalinienne et dans l'indifférence de Staline. Jusqu'à la fin, désespéré, Paul ne cessera pas de le voir. A un retour de vacances en 1938, il trouve dans son entreprise des bureaux vides: bon nombre de ses compagnons ont été arrêtés. C'est la dernière épreuve: malade, il se traîne et meurt à sa table de travail.

Staline à quarante ans.

*Staline à cinquante-six ans.* – «Les noyés n'ont pas de nom au fond de l'eau, frères, et tous le même visage bleu... Les loups ne savent pas qu'ils sont des loups... c'est ainsi... ainsi.»
Victor Serge. *(Il est minuit dans le siècle.)*

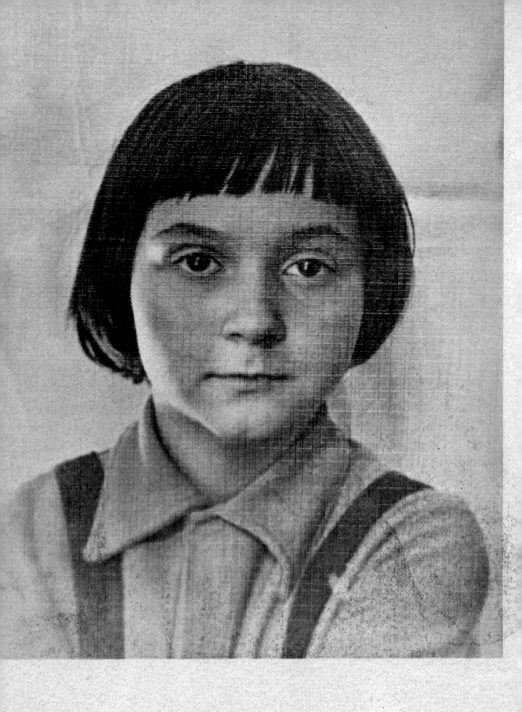

*Katia, fille de Svetlana Alliloueva et de Youri, fils d'Andreï Jdanov.*

*Svetlana Alliloueva dans l'un de ses refuges en Suisse.*

*Svetlana Allilouieva et Emmanuel d'Astier s'entretiennent dans le parc de la Maison Neuve à Nonan-sur-Matran, aux abords de Fribourg, en Suisse.*

III

III

*Le Congrès de l'offensive générale*

En 1929, Staline tient le Comité central, le parti en main. Les opposants sont chassés ou déconsidérés. Trotski, expulsé, est conduit à la frontière turque. La tâche a été menée sans effusion de sang : aucune tête n'est tombée. C'est Staline qui a dit, quand on le poussait aux dernières représailles : « Vous coupez une tête aujourd'hui, une autre demain, encore une troisième le lendemain. Que restera-t-il en fin de compte du parti... ? » Sans doute n'était-il pas assuré de la voie qu'il allait prendre. Pour le pays, pour ces années qui approchent du grand tournant, la situation est grave. L'Ouest boycotte la Russie : point de crédit, pas d'exportation. La famine menace. Le paysan riche ou moyen refuse la réquisition ; les produits alimentaires trop rares vont au marché noir. Il n'y a pas de tracteurs pour défoncer la terre. L'industrialisation est à peine commencée. La production d'acier et de charbon reste faible.

Au XVIe Congrès, Staline choisit la voie : la force. Il reprend à son compte la politique de Trotski. La collectivisation intégrale de l'agriculture sur de vastes régions – trente millions d'hectares – est décidée. Pour l'industrialisation, des millions d'hommes seront tirés de leurs maisons, de leurs cabanes, déplacés vers les cités futures, les terres nouvelles. C'est le communisme de guerre sociale, « l'offensive générale du socialisme ». Les vieilles structures ont été balayées, mais les nouvelles ne sont pas en place. Il faut conduire un peuple de cent cinquante millions d'hommes à la terre promise, par des moyens gigantesques et cruels, à un rythme infernal.

Staline, qui est à la fois Moïse et Pharaon, semble saisi d'un vertige poétique. Le langage plat du tacticien, ou du médiocre théoricien devient langage biblique, incantation de prophète :

*« Ralentir le pas, c'est rester en arrière. Ceux qui restent en arrière sont battus. Nous ne voulons pas être battus. Nous ne le voulons pas. La Russie a été battue par les khans mongols, elle a été battue par les beys turcs, elle a été battue par les seigneurs suédois. Elle a été battue par les pans polonais et lithuaniens, elle a été battue par les barons japonais, par les capitalistes anglo-français. Elle a été battue par tout le monde pour son retard... on la battait parce que cela rapportait, et qu'on pouvait le faire impunément. Rappelez-vous les paroles du poète d'avant la révolution : « Tu es pauvre et tu es riche, tu es vigoureuse et tu es faible, petite mère Russie... » Dans le passé nous n'avions pas, nous ne pouvions pas avoir de patrie. Nous avons cinquante ou cent ans de retard sur les pays... Nous devons parcourir cette distance en dix ans. Si nous ne le faisons pas, nous serons écrasés. »*

Il y a une flambée : une partie de la jeunesse, une partie du peuple s'élance et s'exalte. Mais la tâche est trop inhumaine. Le front de l'acier, des hauts fourneaux, décime pire qu'une grande bataille. Des millions de paysans moyens se révoltent, entraînant les petits qui veulent leur terre plutôt que la terre commune. Ils tuent le bétail, brûlent les récoltes. En trois ans plus de la moitié du cheptel disparaît. C'est une guerre civile réduite à coups de mitrailleuses, et par la déportation.

Mais si un et un font toujours deux, un million et un million ne font pas deux millions, cela fait des millions. A Churchill qui lui demandera treize ans plus tard : « L'épreuve a été dure pour vous ? Vous aviez à faire à des millions de petites gens... » Staline répond : « Dix millions... ce fut épouvantable, et ça a duré quatre années. »

L'année 1932 où mourut Nadia Alliloueva, tuée par le malheur de son pays, est sans doute la plus cruelle. Vingt-cinq ans après, j'ai entendu, un soir, le récit d'une amie de Nadia : « J'ai téléphoné au Kremlin. J'ai entendu Joseph Staline. Sa voix était défaite. Elle disait : « Viens embrasser Nadia... » Quelques heures plus tard, deux policiers fouillaient dans l'appartement pour rassembler et emporter tous les souvenirs que je pouvais avoir de Nadia. Je n'ai pas pu parler de nouveau à Staline. C'était toujours des voix anonymes. Je n'ai pas été au Kremlin. Je n'ai pas embrassé Nadia... »

Aujourd'hui, dans le cimetière de Novo-Dievitchi, il y a une haute stèle d'où sortent les épaules et le visage lisse de Nadia... à côté, une pierre noire, la tombe d'Alexandra Andreevna, la servante, le seul témoin constant de trente années qui, elle, a survécu au maître et n'a pas porté témoignage.

Malgré son masque et son sang-froid, Staline est touché. Est-ce alors, comme le raconte Victor Serge, qu'il se leva un jour pour offrir à ses camarades du Bureau politique sa démission? « Peut-être suis-je devenu à la vérité, un obstacle à la bonne entente du parti. Si c'est ainsi, je suis prêt à m'effacer... » Personne ne broncha, sauf Molotov: « Voyons, voyons, tu as la confiance du parti. » Et l'incident fut clos.

## *Au seuil*

Staline deviendra un dieu. Il ne peut plus y renoncer. Il n'y a plus personne à sa taille. Il est seul. Pour sauver la révolution, des camarades tourmentés acceptent l'inévitable. La discipline de fer, le fanatisme, le mysticisme maintiendront l'entreprise, permettront de brûler les étapes.

Dans le peuple, Staline et son groupe brisent les résistances, par la rééducation, le travail forcé, l'exigence d'un sacrifice total de la vie personnelle. La Russie est mobilisée, l'homme un soldat. Un grand nombre – ceux que nous ne connaîtrons jamais – accepte et va vers la terre promise. Dans le parti, les opposants sont exclus, puis punis, mais ils s'inclinent et reviennent. Avant la souffrance même, ce sont les concessions, les aveux. Les exclus participent au système sachant qu'ils iront un jour à la mort. Beaucoup seraient assez courageux et sincères pour crier la vérité. Mais le peuple envoûté les entendrait-il, les écouterait-il? Ils ne le font pas: ils ont la foi dans l'entreprise, la vérité nuirait. Ils ont la volonté de sauver ce qui a été fait en commun, par eux tous, frères ou acolytes, et qui n'est pas défait par Staline, même quand il est monstrueux. Boukharine revient de Paris pour se faire assassiner. Un autre dira un jour: « Oui c'est un monstre, mais s'il disparaissait la révolution tomberait en morceaux... » Svanidzé, le neveu de Staline qui a envoyé son père et sa mère à la mort, parlant d'un faux Svanidzé me dit: « Un Svanidzé, un bolchevik, quels que soient le risque et la haine, n'émigre pas. »

A quoi bon tenter l'impossible. Les patients supportent le dogme ésotérique d'une révolution menée par un ordre de révolutionnaires professionnels. Et la règle fondamentale de l'autorité illimitée, de l'infaillibilité de Staline devient pour Staline lui-même et son équipe une nécessité plutôt qu'une satisfaction.

En 1934, à l'anniversaire de la révolution, sur le mausolée de Lénine, Staline, selon le rituel, est entouré des grands dignitaires. Un nouveau est là, c'est un homme qui a choisi la patience. Il a quarante ans, homme de l'intérieur, discret, qui aime la vie en même temps que la révolution. Il passera au travers, succédera à Staline, abolira son culte: c'est Nikita Khrouchtchev.

Mais si des ouvriers, des techniciens, des jeunes paysans, si des dirigeants qui ont l'estime et la confiance, tout en doutant à leur heure – comme un Iénoukidzé, un Kirov – se prêtent à l'imagerie du père des peuples et de son génie, dans le parti l'opposition rebondit incohérente. Trotski, au loin, devient le symbole.

Comme un écho, Léon Siedov, son fils, écrit en 1934:

*« Il ne faut pas d'égards dans la tactique et les méthodes à suivre pour lutter contre Djougachvili : un tyran mérite d'être combattu comme un tyran. »* C'est un écho à Ioffé, le vieux bolchevik, qui s'est suicidé en 1927, en invitant Trotski *« à combattre l'usurpateur, par tous les moyens qu'emploient les révolutionnaires pour abattre les ennemis du peuple »*.

## Le dauphin

Serge Kirov est une étoile qui monte : il vient d'être élu membre du Bureau politique. Il a remplacé Zinoviev comme président du Soviet à Pétrograd. Les grandes forces du parti sont réparties dans quelques principautés, Moscou, Léningrad, Tiflis, Bakou qui sont les citadelles. Kirov est jeune et beau. Il a des sentiments comme Iénoukidzé. S'il est fidèle sans conditions, s'il est impitoyable pour les cadres, l'opposition dans le parti (n'a-t-il pas inventé le terme : vipère lubrique), il est troublé par la souffrance du peuple, l'état du parti. Peut-être est-il trop populaire. Certains voient en lui le dauphin. Il est aussi l'un des familiers les plus intimes de Staline, bouleversé devant le cercueil de Nadia, troublé devant Staline qui joue avec Svetlana sur son bateau dans la mer Noire.

Au XVIIe Congrès, le Congrès de la victoire, Staline méfiant, met l'accent sur les ombres, Kirov confiant, sur les lumières. Pour le maître il y a un concert de subjectivités douteuses et un seul facteur objectif de l'édification socialiste : Staline. On raconte qu'aux élections du Comité central, Kirov aurait eu – et c'est peu vraisemblable – trois cents voix de plus que Staline.

Dans cet été, Kirov semble percevoir l'engrenage. Devant la violence et la répression, des complots se trament, des centres clandestins se constituent, à Moscou, en Carélie, dans l'Oural où Zinoviev et Kamenev purgent leur peine. On épure, on fusille. Kirov et les jeunes – dit-on – estiment qu'il faut frapper les têtes, épargner la base. Bien que la peur commence, que Iagoda lui-même, le chef de la police, soit suspect, Staline reste prudent: il espère la soumission. On ne frappe pas à mort les anciens dignitaires.

Dix mois plus tard au soir du 1er décembre 1934, Serge Kirov est assassiné à Léningrad par un nommé Nikolaïev. Staline accourt sur-le-champ. Il est saisi d'une fureur froide. Il interroge Nikolaïev pendant des heures.

Pourquoi? Comment? Nikolaïev est-il un mari trompé, un communiste oppositionnel, un agent de Iagoda, un agent de Staline même... ou tout cela à la fois? En l'écrivant, je ne crois pas plus à cette version qu'à celle qui veut que Nadiejda ait été tuée par Staline. Khrouchtchev l'accusateur, parlant de l'affaire Kirov, a posé la question sans y répondre: « Les circonstances sont jusqu'à ce jour inexplicables et mystérieuses... » Saura-t-on? Trop de témoins ont disparu, trop d'intérêts sont encore en jeu. On accusera Staline parce qu'il en était capable, parce que Kirov victime inutile pour l'opposition était, pour lui, une victime utile.

Aussi faut-il revenir aux traits de l'homme. L'affaire de décembre 1934, qui allait entraîner des milliers de morts, des milliers de déportations, puis cinq années de férocités, s'était achevée le lendemain sur une scène shakespearienne... Dans la grande salle à colonnes, où le corps de Kirov est dans une bière encore ouverte, Staline veut être seul : on a écarté les gens. Un traînard est resté, témoin apeuré, derrière une colonne. Que lui arrivera-t-il ? Aujourd'hui il vit encore et parle. Il a vu Staline, debout, immobile, contempler quelques moments le cadavre... Avant de le quitter, il s'est penché et l'a baisé sur la bouche.

La répression est d'une brutalité sans précédent. On voit monter dans l'Histoire des êtres plus cruels ou plus abjects. Après un Iagoda, un André Jdanov, l'épurateur de Léningrad, qui transforme des centaines de bolcheviks suspects en assassins de Kirov, faux intellectuel glacé, qui régentera plus tard les lettres et les arts (« qui est-ce ? » demandera un jour Prokofiev somnolent tandis que l'homme explique aux compositeurs les tares de la musique moderne qui s'éloigne du marxisme)... un Vychinski, l'homme au dentier, qui fera la mise en scène de tous les procès ; un Iejov, le malade fou, qui, avec son adjoint Zanovski, s'attaquera au parti, aux commissariats de l'Intérieur, de la Guerre et des Affaires étrangères, et érigera en système la torture et les aveux spontanés.

Pourtant après la première répression pour l'affaire Kirov, il y aura une période de répit, une période d'eaux calmes avant le grand orage. On parle encore du succès du deuxième plan quinquennal, de la réforme constitutionnelle. Les premiers procès de 1935 sont encore bénins. On se contente de compromettre les dirigeants gênants: aveux partiels, reconnaissances de culpabilité, peines de prison.

## L'inquisiteur

Avant de frapper, le dieu établit son culte. La pensée de Staline, le langage de Staline deviennent la pensée et la langue nationales russes. L'art et la science commencent à s'incliner. Staline a tant appris, il est si engagé qu'il croit pouvoir trancher toutes les questions, seul. Il a besoin de *statisti*, ce mot qui en russe signifie figurants. Il a besoin d'administrateurs, de techniciens ou d'experts. Sans doute établissant le culte ne prenait-il pas plaisir au culte, n'en était-il pas dupe. Son appui était une armée de secrétaires et de gardes. Il conserve des goûts simples et vulgaires, lié avec le peuple qu'il entraîne et qu'il doit crucifier pour qu'il ressuscite, inquisiteur et satrape pour la cause.

Mais Staline était effrayé. Avec son caractère et son corps si bien trempés, il n'était pas effrayé pour lui-même, mais pour l'œuvre assumée, et pour le personnage historique seul capable de la réaliser. Le régime devient le grand mécanisme, la grande roue. Staline est l'axe. Ni l'axe, ni les rayons ne peuvent saisir le paysage.

« Staline était un homme très méfiant, maladivement soupçonneux: nous avons appris cela en travaillant avec lui, dira Khrouchtchev, il pouvait fixer quelqu'un et lui dire: « Pourquoi votre regard est-il sournois aujourd'hui?... » Sournois et crédule aussi... il faut que chacun des autres soit plus effrayé que lui. Il faut ériger la surprise en stratégie. Paresseux, dira Trotski! Peu d'hommes ont autant travaillé, fait une besogne aussi harassante, décidant de tout connaître, lisant ligne à ligne le bulletin oppositionnel, un peu outrecuidant, de Trotski traqué.

Il sera de plus en plus distant et secret, présent par une iconographie et une liturgie auxquelles doivent se soumettre ceux qui veulent survivre. Il arrive, escorté à trois pas, vêtu de simplicité, porte dans ses bras la petite fille, touche l'épi de blé, et disparaît.

1936, 1793. Comme la Révolution française, la Révolution russe va-t-elle se dévorer elle-même? Les Montagnards ont dévoré les Girondins; puis c'est au tour des Montagnards; puis les Jacobins se dévorent entre eux. Staline mourra-t-il comme Robespierre? sera-t-il Bonaparte?... Il restera Staline: les analogies historiques sont toujours abusives.

Le 14 août 1936 éclate le coup de tonnerre: l'Agence Tass annonce que seize terroristes vont comparaître le 19 devant le collège militaire du Tribunal suprême: dignitaires du parti, héros d'octobre, vieux bolcheviks, dont Kamenev et Zinoviev. Le procès durera cinq jours. La procédure pénale a été décidée par Staline lui-même, le lendemain du meurtre de Kirov:
- l'enquête doit être terminée en l'espace de dix jours;
- l'acte d'accusation est remis à l'accusé vingt-quatre heures avant l'envoi de l'affaire au Tribunal;
- les affaires sont examinées sans la participation des intéressés;

– le pourvoi en cassation et le recours en grâce ne sont
pas admis;
– la condamnation au châtiment suprême est mise à
exécution immédiatement après le verdict...

La nouvelle légalité socialiste est mise en forme pour
dix-sept ans, par Vychinski: c'est à l'accusé d'apporter
la preuve de son innocence; l'aveu est une preuve irré-
futable; l'accusé peut être condamné pour le crime
d'autrui, même s'il l'ignore. Et cet ouvrage de Vychinski, qui sera couronné par Staline en 1947, ne suscitera
même pas un haut-le-corps aux confins du monde
communiste.

### Chiens ou traîtres

Chacun sait aussitôt les premiers débats, que l'affaire
n'est qu'un prélude. Les personnages mis en cause ou
impliqués ont été l'armature du bolchevisme: Rykov,
successeur de Lénine à la présidence du Conseil,
Tomski les syndicats, Boukharine, Smilga, Radeck,
Piatakov et Trotski. Ces hommes sont présentés par
Vychinski comme « *de vils aventuriers qui ont piétiné avec
leurs sales pieds les meilleures fleurs, les plus parfumées de
notre jardin socialiste* ».
Qu'il y ait eu une opposition clandestine (c'est souvent Trotski qui l'anime, la désigne, quitte à se vanter),
qu'il y ait eu des complots, des tentatives terroristes,
nul n'en doute. Mais Staline, Vychinski n'ont pas le
temps de s'attarder à trouver la réalité, même à chercher

la vraisemblance dont personne ne se soucie. On fabrique, on désigne des coupables d'avance, on rédige les aveux. Il s'agit de détruire des égaux ou des rivaux, d'abolir un passé, le souvenir d'une pluralité, d'un débat révolutionnaire qui pouvait dévoyer la nouvelle génération. L'Association des vieux bolcheviks, l'Association des anciens prisonniers politiques ont été dissoutes.

On s'enfonce dans un monde primitif. Les accusés, annihilés par une sauvage monotonie, par un supplice physique et moral, se meuvent et parlent comme des automates. «*Tu es un chien*»... «*je suis un chien*»... «*tu es un traître*»... «*je suis un traître*»... et Vychinski va son train: «*Roquets et toutous, menteurs et histrions, pygmées misérables.*»

Les gens ne sont plus que des obsédés ou des possédés. Dans son *Staline*, Isaac Deutscher évoque cette période dans un raccourci saisissant. « *De ces procès sans fin, publics et secrets, quatre furent de la plus grande importance : le « procès des seize » (Zinoviev, Kamenev, Smirnov, Matchkovski et autres), en août 1936 ; le procès des « dix-sept » (Piatakov, Radek, Sokolnikov, Mouralov, Serebriakov et autres), en janvier 1937 ; le procès secret du maréchal Toukhatchevski et d'un groupe de généraux de l'Armée Rouge, en juin 1937, et le procès des « vingt-et-un » (Rykov, Boukharine, Krestinski, Rakovski, Iagoda et autres) en mars 1938. Parmi les hommes qui se trouvaient au banc des accusés lors de ces procès, il y avait tous les membres du Bureau politique de Lénine, excepté Staline lui-même et Trotski, lequel, bien qu'absent, était le principal accusé. Parmi eux, en outre, il y avait un ancien premier ministre, plusieurs vice-premiers ministres, deux anciens chefs de l'Internationale communiste,*

*le chef des syndicats (Tomski, qui se suicida avant le procès),
le chef de l'état-major général, le principal commissaire politique de l'armée, les commandants suprêmes de tous les secteurs
militaires importants, presque tous les ambassadeurs soviétiques
en Europe et en Asie, et, les derniers mais non les moindres,
les deux chefs de la police politique : Iagoda, qui avait fourni
la « preuve » pour le procès de Zinoviev et Kamenev, et Iejov
qui avait fait de même pour les procès de tous les autres. Tous
furent accusés d'avoir essayé d'assassiner Staline et les autres
membres du Bureau politique, de restaurer le capitalisme, de
ruiner la puissance militaire et économique du pays, et d'em-
poisonner ou de tuer de mille façons des masses d'ouvriers
russes. Tous furent accusés d'avoir travaillé, dès les premiers
jours de la révolution, pour les services d'espionnage de Grande-
Bretagne, de France, du Japon et de l'Allemagne, et d'avoir
conclu des accords secrets avec les nazis en vue de démembrer
l'Union soviétique et céder de vastes portions de territoire
soviétique à l'Allemagne et au Japon. Si ces accusations qui
s'accumulaient de procès en procès avaient été fondées, il aurait
été impossible d'expliquer l'existence et la survivance de l'Etat
soviétique. »*

## L'armée : Toukhatchevski

Il faut détruire tous ceux qui sont capables de prendre
le pouvoir, d'interrompre l'œuvre. Et c'est la tuerie
elle-même qui donne corps aux vastes complots imagi-
naires que Staline fabrique dans sa tête.

L'armée l'inquiète. Il voit que la guerre approche. Il
est avisé d'une conspiration. Le protagoniste en serait

le maréchal Mikhaïl Nicolaïevitch Toukhatchevski, le chef militaire le plus populaire dans le pays et l'armée.

Toukhatchevski, lieutenant de la garde impériale, aristocrate et lettré, d'une famille de guerriers que l'on trouve dans *Le Livre de Velours,* est en 1916, à vingt-deux ans, prisonnier des Allemands. Ses tentatives d'évasion l'ont amené à la forteresse d'Ingolstadt, où il y a Français, Russes et Britanniques, les fortes têtes... et parmi eux un capitaine français Charles de Gaulle. Les officiers alliés peuvent fêter ensemble le 14 juillet 1917 – et chanter *La Marseillaise* – avant que le Russe s'évade. Il rejoint Pétrograd et la révolution et s'inscrit au Parti communiste.

Sauf l'échec de la bataille de Varsovie en 1920 (où il retrouvera de Gaulle en face de lui, allié devenu adversaire), il ira de victoire en victoire. Il bat les Tchèques, il bat Koltchak. Il achève Denikine. A vingt-sept ans, il commande le front du centre contre la Pologne, mène ses troupes aux portes de Varsovie où elles connaissent un seul revers que certains attribuent à Staline qui a lancé l'offensive sur Lvov.

C'est lui qui a la mission de réduire en 1920, comme Bonaparte en Vendémiaire, la révolte populaire de Cronstadt. Il a l'ordre du Drapeau Rouge. A quarante-deux ans il est maréchal.

En 1936, Staline l'envoie négocier avec les chefs militaires à Paris et à Londres, et représenter l'Union soviétique aux obsèques de George V. Il rencontrera de nouveau à Paris, dans un restaurant de la rue Royale, ses compagnons de captivité d'Ingolstadt et de Gaulle. Il est l'organisateur de l'Armée Rouge, le vice-ministre de la Défense. On le voit en 1937, aux côtés de Staline, sur le mausolée, pour la grande parade du 1er mai. Une fois, deux fois il pouvait être Bonaparte. Sans doute n'y songea-t-il pas. Dix jours après la parade, il est destitué; un mois après, abattu dans la cave de Iejov. Sa femme devient folle, sa fille se pend. La trame de l'histoire, admise aujourd'hui, toute tissée qu'elle soit d'extravagances, de mensonges et de vérités est un roman des services secrets. Il y a la volonté d'Himmler et des services allemands de décapiter, désorganiser l'Armée Rouge, la crédulité féroce de Staline qui doit monter une à une les marches sans attendre une preuve. Il y a les espions traditionnels: le général Skobiline, la plus belle actrice de Moscou, les menées du préparateur en pharmacie Iagoda. Il y a les truchements inconscients du destin: Boukharine supplicié qui prononce le nom, désigne l'homme à la mort; Bénès, le chef d'Etat tchèque, intoxiqué par les services secrets, qui croit au complot et en informe Staline.

En moins de six mois, trois maréchaux, vingt-sept généraux d'armée, vingt mille officiers disparaissent, tués, emprisonnés ou déportés. L'appareil policier est devenu extravagant. Quand l'appareil de Iejov a liquidé l'appareil de Iagoda, que la nouvelle police, la Gougobez, a décimé dans les caves la Guépéou, le peuple a respiré, s'est réjoui. Il trouvait un peu de paix: la bataille contre la population révoltée ou réticente était portée au niveau des corps constitués. Les nouveaux exécutants Iejov et Zakovski, le fou et le sadique, donnent à l'épuration des cadres politiques, militaires et diplomatiques, un caractère monstrueux. Les plus sûrs, les plus vieux bolcheviks, les proches de Staline, sa famille, tout le monde y passe. Staline est impassible. Il s'en tient au principal. Aucune contingence ne le démonte : Stanislaw Redenss son beau-frère est abattu par Iejov ; le vieux compagnon Ordjonikidzé, organisateur de l'industrie lourde, s'est suicidé... Pour un compagnon Alexandre Svanidzé, un beau-frère, qui refuse d'avouer des crimes qu'il n'a pas commis et de demander pardon, Staline dit : « *Voyez-vous ce fier, il est mort mais il n'a pas demandé pardon.* » Les plus braves cherchent à donner un sens à leur sacrifice et n'y parviennent pas. Krestinski s'écrie au Tribunal : « *Je suis innocent, on m'a torturé* », et le lendemain se renie. Boukharine dit : « *J'aperçus tout d'un coup avec lucidité un vide noir... Il faut s'agenouiller quand même désespérément devant le parti et le pays.* » Sans doute espèrent-ils déconsidérer Staline et son régime par l'incongruité, l'énormité de leurs déclarations et de leurs aveux.

Quand Abel Iénoukidzé, frère d'élection et parrain de Nadia, le plus fidèle malgré ses doutes et ses transes... quand Abel est fusillé à son tour, Trotski de l'autre côté des mers s'écrie : « *Caïn, qu'as-tu fait de ton frère Abel ?...* » La voix de Staline au travers de sa presse répond : « *Trotski, c'est toi Judas.* »

Si Iejov est fou, Staline ne l'est pas. Quand il juge l'objectif atteint, il arrête l'opération, fait disparaître les inquisiteurs. Il fait fusiller Zakovski, comme il a fait fusiller Iagoda. Iejov, jeté dans un asile, est trouvé pendu à un arbre. Le temps de la clémence est venu. L'horizon de Staline est à la fois un charnier, une prison et un rêve de grandeur pour un peuple qu'il a soumis et sauvé. Il pourra s'y complaire quand la Russie soviétique sera entrée dans l'Histoire du monde, comme la puissance capable d'entraîner un milliard d'hommes, humiliés et offensés par les civilisations précédentes.

C'est au plus fort de la terreur que Staline a commencé une mascarade. Il promulgue les lois et les principes du progrès socialiste qui resteront lettre morte, tandis qu'il met en œuvre les procédés diaboliques et réactionnaires. Sans doute pense-t-il comme tant de dictateurs qu'il est unique et sage, qu'il peut seul tout violer pour parvenir aux fins, que cette bible future justifiera ses mauvais moyens et empêchera les petits successeurs d'en faire un usage contraire aux fins divines.

En novembre 1937, il a donné une constitution nouvelle que l'histoire officielle du Parti communiste de l'Union soviétique qualifie comme étant « la plus démocratique que le monde ait connue ». Il a déclaré que l'homme était le capital le plus précieux. Il s'est levé au Congrès pour s'opposer à l'amendement instituant une présidence unique en place d'une présidence collective, déclarant qu'un tel président pourrait devenir un dictateur.

### *Le peuple russe*

Le peuple russe accepte. Il y a l'œuvre économique et sociale dont les fils sont tirés envers et contre tout. Dans les années mêmes de fureur ou de démence, l'édifice est sorti de terre, une génération nouvelle aussi. Les idéologues, les révolutionnaires, les politiques, les intellectuels sont tous tombés ou réduits. La génération qui vient a déjà été façonnée dans le Grand Mécanisme: ce sont les centaines de milliers d'administrateurs et de techniciens à l'âme engourdie, de compétence souvent médiocre, mais qui apprennent et travaillent comme les Russes n'ont jamais appris ni travaillé. Ils ont une foi et une force, une crédulité et une résignation qui sont naturelles au peuple russe... Sans doute ont-ils peur, pour beaucoup, mais c'est la peur du surnaturel, puisque le pouvoir et ses dispositions relèvent d'un surnaturel qu'ils renoncent à apprécier... Il y a aussi dans cet enfer un ensemble de peuples dont les relations sont harmonieuses, qui forgent un grand destin à terme et en ont confusément conscience; c'est une révolution dont l'étranger a voulu les frustrer. Ils voient venir la croisade de l'Ouest, la deuxième qui se renoue à l'extérieur, après la première, celle de 1919. Dans ce monstrueux accouchement, on ne peut pas changer de maître.

*Les voix d'en bas*

Des récits tardifs figurent l'histoire de ces jours: le récit de cette communiste irréprochable avec qui je débattais de cette époque. Elle n'avait été excessive ni dans son zèle ni dans ses critiques à l'égard de Staline. C'était les souvenirs d'une fille de seize ans:

– J'étais à Minsk dans une école. Cette année-là, les uns après les autres, les deux tiers des élèves manquaient la classe pour quelques jours. Ce n'était pas la maladie. Il était arrivé malheur aux parents. Il fallait recaser les enfants chez les grands-parents ou les voisins...

– Vous avez eu un mouvement de pitié ou d'horreur?

– On ne parlait pas: c'était la fatalité. Chacun pensait que les parents étaient des traîtres, les fils eux-mêmes le croyaient...

Il y a les récits des réhabilités. Ils sont légion: ils ont parfois un esprit de corps, comme des anciens combattants. Tchernov a soixante-quinze ans, grand ingénieur, vieux bolchevik. Il a été déporté deux fois en Sibérie – au total dix-sept ans – trois ans pour le Tsar, quatorze ans pour Staline. Il finit doucement sa vie dans l'immeuble des vieux bolcheviks sur la Moskova. Au-dessus d'un piano, des photographies au mur, autour de l'image d'une femme très belle, racontent sa déportation de 1905 et son mariage. Il ne parle pas de l'autre déportation. Quand j'insiste, il répond « c'était comme ça », revient à la révolution et me dit que sa femme, qu'il a épousée là-bas, est morte là-bas et que son fils dirige aujourd'hui une centrale sur le Dniepr. C'est un chrétien des premiers temps: il reste illuminé par sa foi... J'interroge Nathalie, une autre réhabilitée: « J'y ai passé sept années avec ma mère. Nous avons été ramassées à Toula.» – «Pourquoi?» – «Quelle question stupide, on ne savait pas pourquoi, on ne saura jamais. C'était la statistique: il fallait un pourcentage d'ennemis du peuple.»

Ilya Ehrenbourg raconte: « *Certains habitants d'un immeuble de la rue Lavranchinski demandèrent que l'usage de*

*leur ascenseur fût interrompu la nuit. L'ascenseur les empê-
chait de dormir : ils restaient éveillés pour surveiller les bruits
de l'ascenseur... Babel vint nous voir et avec son humour habi-
tuel, il nous décrit le comportement de gens que l'on nommait à
des fonctions importantes : « Ils s'asseyent à l'extrême bord de
leur chaise. » Je me souviens aussi d'une terrible journée chez
Meyerhold... Belov fit irruption. Il était agité, et se mit à
décrire le déroulement du procès de Toukhatchevski, et des
autres généraux. Il était membre du jury militaire du Tribunal
suprême. Je me souviens d'une phrase « demain c'est moi qu'on
fera asseoir à leur place »...* Babel tué... Meyerhold tué...
Belov arrêté, Ilya Ehrenbourg ajoute: « *Nous ne com-
prenions rien, nous pensions (parce que nous voulions le penser)
que Staline n'était pas au courant de ce règlement de compte
insensé avec les communistes, avec les intellectuels soviétiques...
Un grand nombre pensait que la source du mal était un petit
homme que l'on avait surnommé le « narkom de Staline »*.

## Trotski

1940: les dix ans sont passés qui devaient en faire
cinquante. La lutte entre les deux rivaux, Staline et
Trotski, celui qui a fait l'Histoire, celui qui l'a rêvée –
le stratège vaincu, éloquent et découvert, le tacticien
vainqueur, silencieux et secret – va s'achever.

Au-delà des querelles d'idées, il y a eu, entre les deux,
une répulsion d'homme, de classe et de race. Staline
haïssait le juif intellectuel et bavard. Trotski haïssait
l'Asiatique et l'employé cruel. L'un et l'autre se trom-
paient, Staline dans la plus basse diffamation, Trotski

quand il parlait du « paresseux » et de « la plus éminente médiocrité du parti ». Trotski vagabond, chéri de quelques centaines de milliers d'hommes répartis dans le monde, s'il fut l'artisan de sa défaite, le fut dans une grandeur et une poésie. Staline victorieux, dans l'efficacité et l'horreur, mourut dans son lit assuré de son empire.

On est saisi par le visage et le courage de Trotski dans l'exil. D'Alma-Ata dans les montagnes d'Altaï, à la mer Noire, voilà l'homme dans sa capote, l'expulsé, entre des gardes qui voudraient bien qu'il tente de s'évader pour qu'on puisse le tuer. Il salue de sa casquette le rivage de la Russie. Constantinople, la Norvège, Grenoble, Mexico... Avec sa compagne Nathalie, il arrive là, « fantôme à lunettes », comme le décrit Malraux, « dont la force des traits est dans la bouche aux lèvres plates, tendues, extrêmement dessinées, de statue asiatique ». Il a ce fond d'enfance et d'improvisation qui le sépare de Staline. Aboyant sans trêve à la lune, écrivant une vie de Staline, il attend les balles de la mort. En août, il a terminé: « *Staline peut dire, à bon droit : la Société c'est moi.* » Il met la main à une introduction, sept pages, et il écrit: «... *La première qualification de Staline, c'est une attitude méprisante à l'égard des idées, l'idée avait...* » Il s'arrête là. Quelques jours plus tard, le 20 août 1940, un Jacques Mornand, communiste espagnol, lui défonce le crâne à coups de piolet. Sur son lit d'hôpital, le visage du moribond Trotski ne trahit aucune surprise.

*Détente*

En 1939, c'est la pause à l'approche de l'autre apocalypse : la guerre. Le XVIII^e Congrès annonce l'empire libéral, le retour à des vertus bourgeoises. On parle du code de la famille, de l'extension de la propriété, de l'armée nationale. Staline déclare : « Nous n'aurons plus besoin de recourir aux épurations en masse », et Béria nouveau chef de la police surenchérit. Les statuts du parti sont tempérés. On ouvre des prisons, on réhabilite.

Prophétique, le secrétaire général se tourne vers l'étranger et dit : « Une nouvelle guerre impérialiste a éclaté et se déroule sur un territoire immense, de Shanghaï à Gibraltar... Nous ne tirerons pas les marrons du feu pour les autres. »

Staline a soixante ans. Il est devenu le Messie, le chef spirituel. Il truque l'Histoire, étend son infaillibilité aux arts, à la science, à la philosophie. Les théories sortent comme les colombes du chapeau d'un prestidigitateur, dans un jargon liturgique imposé à tous les Partis communistes du monde. Staline est seul, absolu dans son œuvre, absolu dans son isolement. Il sait que la plupart de ses collaborateurs ne l'aiment pas et le redoutent. Les meilleurs se croient contraints d'employer les méthodes staliniennes qui, devant l'événement ou la tâche, leur paraissent un impératif révolutionnaire ou un impératif national. Il faut travailler et survivre dans la crainte et l'inexplicable. On s'accommode de Staline.

Avec l'âge ses gestes se mesurent, son mutisme s'accroît. Il a, il a eu toute sa vie, un bon sommeil, un sommeil profond. A ce moment où il se préoccupe de la famille et du foyer et de leur code, il n'a ni famille, ni foyer. Svetlana, la fille, est un dernier lien fragile. Catherine, la mère, est morte à Tiflis. Mère du Tsar, elle vivait dans l'accoutrement des dimanches. Et quand on lui demandait pourquoi, elle disait : « Tout le monde sait qui je suis. » Mais elle regrettait toujours que Joseph ne fût pas devenu pope. Depuis des années il ne l'avait vue qu'une fois. A la mort il n'accourt pas, mais il lui assure la sépulture religieuse.

Staline renonce à Sotchi et à son Caucase. Il médite plus souvent à Kountsevo dans un monde de robots, de gardes et de bureaucrates.

IV

Vient la guerre.

Staline ne l'a jamais cherchée. Il ne l'a pas provoquée, ne la provoquera pas. Il est assez imbu de sa doctrine, du communisme, pour l'écarter si elle ne s'impose pas. Il sait que l'on ne peut en évaluer les risques et les conséquences, qu'il y a d'autres moyens plus sûrs pour parvenir au but. Il doit parfaire son expérience dans un seul pays qui est la sixième partie du monde. Sentant que la guerre est là, qu'on ne peut plus l'éviter, il s'en écartera le plus longtemps possible, mais en tirera tout le profit qu'il peut.

On n'a pas voulu conclure l'alliance contre Hitler, on a voulu rejeter la Russie hors de l'Europe, apaiser l'Allemagne, au besoin la détourner contre lui. Il cherche à la détourner contre l'Ouest. Depuis trois ans il s'est battu en retraite. Chez les réalistes partisans d'une entente avec le communisme, les méthodes staliniennes, purges et tueries, ont ébranlé la confiance que l'on pouvait avoir dans sa puissance et sa raison. On renonce à défendre la République espagnole, à intervenir. Il temporise et renonce: il estime à juste titre que c'est un mauvais terrain, une mauvaise occasion de conflit

international. Mais, introduisant en Espagne aussi ses
ignobles méthodes, déclenchant une guerre civile dans
la guerre civile, il brise l'élan révolutionnaire. On
renonce à défendre la Tchécoslovaquie et la Pologne:
il doit y renoncer.

S'estimant joué par les puissances occidentales,
Staline signe le pacte avec Hitler. Il sera neutre. Dans sa
retraite, il s'assurera du nord au sud, de la Finlande à
la Roumanie, un nouveau glacis entre l'autre empire et
le sien: l'isthme de Carélie, les Etats Baltes, la Bessa-
rabie, les territoires blanc-russiens de Pologne. Devant
une Europe en expansion vers l'est, il lui faut deux
années de répit, peut-être quatre années, ce que Tilsitt
avait donné à Alexandre Ier.

Hitler va plus vite que Napoléon. En vingt mois
l'Europe entière est conquise et dominée. Seul, sur l'île
Britannique, un petit homme ivre de colère résiste.
l'Amérique est absente. Chacun a triché, et chacun s'est
trompé dans ses appréciations: Hitler renonce à soumettre l'Angleterre, Staline est pris de court. Il admet-
tra qu'il a été surpris: il dira quelques mois plus tard
à un diplomate américain: « Si Hitler m'avait laissé un
an de plus, les Allemands n'auraient pas foulé le sol
russe. »

Déjà le 18 décembre 1940, Hitler avait écrit dans sa
directive Barberousse, No 21 : « L'armée allemande doit
être prête à écraser l'Union soviétique dans une brève
campagne, avant que la guerre avec l'Angleterre soit
terminée. » Et à l'aube du 22 juin 1941, à la veille de
l'anniversaire du passage du Niémen par Napoléon,

cent vingt divisions se ruent sur Kiev, Léningrad, et sur Moscou où l'on joue *Le Songe d'une Nuit d'Eté.*

Staline qui prend son espoir pour une réalité a écarté les avertissements, refusé les présages. Aux premières heures, il ordonne de ne pas répondre au tir allemand. Il veut croire qu'il ne s'agit que d'une action de provocation d'unités allemandes indisciplinées. Le 21 juin un ouvrier allemand communiste a déserté, annoncé l'offensive et son heure. Staline est avisé et refuse de croire... c'est Nikita Khrouchtchev qui apporte quinze ans plus tard le récit. Et un historiographe ajoute que Staline ordonne de fusiller Korpik, l'ouvrier déserteur qui ne peut être qu'un provocateur.

Le 22 juin c'est Molotov qui annonce aux Russes l'invasion. Staline se tait. Déconcerté, il sait le prix du silence et de la réflexion. Il attend quinze jours pour parler au peuple russe. Dans son discours, sur les ondes, le 15 juillet, il est gauche. Son trouble, l'aveu des premiers désastres, une bravade nécessaire mais sans âme, frappent les gens qui l'écoutent. Il invoque le peuple entier, qu'il nomme pour la première fois de sa vie « frères et sœurs »...

Pendant quelques semaines, la débâcle semble totale. L'ennemi s'enfonce à près de mille kilomètres dans les terres russes. Il ramasse près de deux millions de prisonniers, un énorme matériel. Sur le Dniepr, l'armée du Sud, l'armée de Boudienny est prise dans une trappe, effacée. Les abords de Léningrad sont atteints, Moscou entend le canon.

*Devant les revers*

Staline est seul à assumer toutes les responsabilités. Il est entouré de quatre hommes, prosternés, essoufflés, d'intelligence moyenne, qui constituent le Comité de défense, Vorochilov, Molotov, Malenkov, Béria, et de trois maréchaux dépassés, Boudienny, Timotchenko, Vorochilov. Il est à la fois gouvernement, généralissime, ministre de la Guerre et des Affaires étrangères. Le quartier général est son bureau ou son abri au Kremlin. Il fixe la stratégie, la logistique, désigne le commandement, négocie et répartit l'aide alliée, dirige le repli de treize cents usines vers l'Oural et la Sibérie. Il travaille dix-huit heures par jour, s'endort sur le sofa à six heures du matin, veut tout savoir et tranche tout.

Sans doute a-t-il des moments de désarroi. Le lendemain de Novgorod, il se montre accablé: «Tout va mal», dit-il à Evgenia Alliloueva, sa belle-sœur. Khrouchtchev nous dit qu'il s'est enfermé, un jour, chez lui, pour boire jusqu'à en perdre conscience. Ce ne sont que traits sans suite: il surmonte ses défaillances. En septembre, Cripps et Harriman pressentent son anxiété. Dans leurs messages confidentiels, Churchill et Roosevelt lui apportent chaleur et promesses. Mais l'aide est dérisoire et Staline ne mâche pas les mots: «*La situation des troupes soviétiques a considérablement empiré au cours des dernières semaines... Nous avons perdu plus de la moitié de l'Ukraine. L'ennemi est aux portes de Léningrad. Nous avons perdu le minerai de fer du bassin du Krivoï-Rog, et une série d'usines métallurgiques... L'Union soviétique est exposée à une menace mortelle. Comment sortir*

*de cette situation plus que défavorable... Il n'existe qu'une
seule issue : établir dès cette année un second front... Assurer
la livraison à l'Union soviétique de trente mille tonnes d'aluminium pour le début d'octobre, ainsi qu'une aide mensuelle
de quatre cents avions et de cinq cents chars. Sans ces moyens
d'assistance, l'Union soviétique subira la défaite, ou sera
affaiblie au point de perdre la capacité d'apporter à ses alliés
quelque assistance que ce soit... L'expérience m'a appris à
regarder la réalité en face quelque désagréable qu'elle soit. »*

Il n'aura pas le second front, la division légère nor-
végienne qu'il réclame, les troupes anglaises pour le
front ukrainien, ni les trente mille tonnes d'aluminium,
ni les quatre cents avions, ni les cinq cents tanks.

Il dominera la situation. Il surmontera ses erreurs, les
premières débâcles dont il est responsable, avec le sang
et la foi du peuple russe qui l'a accepté pour signe.

Le peuple russe, le Parti communiste gagneront la
guerre. Mais l'énergie de Staline, sa mythologie seront
les éléments de la détermination du peuple et du parti
qui lui font confiance. Au cours de cette période, comme
le dit l'histoire conventionnelle, le parti connut peu de
divergences. Dès la première année, un million et demi
de communistes sont envoyés aux points les plus sen-
sibles, les plus dangereux, pour y donner l'exemple.
Malgré les purges, il y a une armée nouvelle. Près des
tunnels du Kremlin que Napoléon avait empruntés
pour s'échapper en 1812, dans les appartements sou-
terrains, Staline est souvent seul. Les maréchaux, les
généraux, les dirigeants, Malenkov, Chtcherbakov,
Béria, Boulganine, parfois les diplomates, les mission-

naires étrangers et sa fille Svetlana passent. Staline est l'algébriste. Il écoute les thèses; éprouve, parfois suscite le conflit, et tranche. Après avoir soufflé le froid et le chaud, la rapidité et la précision de son jugement, de sa décision semblent frapper la plupart. Il relègue les vieux maréchaux, Vorochilov, Boudienny; il envoie Timotchenko dans le Sud, fait place aux jeunes généraux qui ont un savoir, une force et une confiance, Rokossovski, Vassillievski, Nicolas Voronov qui, à trente-huit ans, sera le maréchal de l'artillerie (cette artillerie autotractée dont le rôle sera décisif), le jeune Novikov qui deviendra maréchal de l'Air. Il choisit Joukov sur lequel il garde l'œil depuis vingt ans, qui sauvera Moscou, et un jour prendra Berlin... Joukov dont l'étonnante carrière témoigne que la toge et la politique finissent par l'emporter sur les armes, qui sera écarté dès la victoire, jouera plus tard Khrouchtchev, prêtera la main pour jeter bas le stalinisme, pour être enfin banni par Khrouchtchev.

Alors, comme au long de son histoire, la méfiance et la ruse restent les traits dominants de Staline. Aucune tête, aucune popularité ne doit approcher de la sienne. Il divise: aucune association ne doit se former. Il faut que la population, regardant le Kremlin, dise « il est là », qu'elle ne s'échauffe pas trop pour un Joukov, qu'aucun maréchal, qu'aucun dirigeant ne prenne le pas.

Aujourd'hui, bien des experts militaires considèrent la campagne de l'été et de l'automne 1941 comme une défaite stratégique de l'armée allemande tout entière engagée contre un seul ennemi. Si plus de cinquante pour cent des réserves minérales et alimentaires de la Russie lui ont été enlevées, si trente pour cent de l'industrie de guerre a été détruite, l'essentiel est sauvé, les meilleures divisions russes, les mieux équipées restent en réserve, la défense antiaérienne est remarquable, la puissance industrielle reconstituée à l'arrière. L'armée allemande est essoufflée, menacée sur ses arrières par la résistance et la terre brûlée. Elle ne prendra ni Léningrad, ni Moscou.

20 octobre, 16 novembre, ce sont les derniers assauts. Les Allemands sont à l'arrêt de l'autobus, à dix-huit kilomètres du centre de la capitale. On dit cinquante divisions, trois mille canons, seize cents chars. Hitler annonce que l'armée soviétique est à merci, vaincue. Il donne l'ordre de détruire le Kremlin, symbole du communisme.

C'est un enfer. Les généraux veulent hâter la contre-offensive. Staline, pour avoir à sa disposition toutes les réserves et les chances, exige encore quelques jours d'endurance. Racontant l'histoire, Joukov dira : « Il a eu raison. » Les quelques témoins étrangers sont ébahis du peuple russe où se mêlent une démesure dans les faiblesses et un miracle d'abnégation et de courage... ébahis de l'inflexibilité stalinienne.

Pour ce peuple, la vie si atroce est au moins plus simple, peut-être plus heureuse : l'ennemi n'est plus l'inconnu, le voisin, le délateur, le fonctionnaire, l'idéologue. L'âme russe, l'âme collective de vingt nationalités peut s'en remettre au surnaturel et trouver sa force dans la présence d'un seul démon, dans la lutte contre un seul démon.

Pendant des jours et des nuits, jusqu'à la nuit du 5 décembre, dans les tempêtes de neige, une armée d'ouvriers et d'employés, organisés en bataillons et en divisions, tient les abords de Moscou, pour que Joukov puisse amasser ses réserves et lancer à l'aube du 6 ses sept armées et ses deux corps de cavalerie, dans la contre-offensive générale.

C'est alors l'imagerie d'Epinal de la guerre la plus anachronique, l'image de Volokolansk et d'Istra, le primitif qui l'emporte, les partisans qui surgissent de partout, la cavalerie de Dovator, sabre au clair, hurlant à la lune, et les Allemands en déroute.

## Staline et ses pairs

L'histoire sans passion ne pourra réduire, pour ces mois, le rôle de Staline, de l'homme seul au Kremlin, qui ne va pas au front, mais qui tient tous les fils et semble être le front même, tandis que le gouvernement est replié à Kouibytchev. Quelque horreur que l'on ait pour Staline, la part sera faite entre l'iconographie enfantine conçue par le dieu lui-même et les affirmations sommaires de ceux qui ont assumé la tâche d'abolir son culte.

Si dans ces années de guerre Staline a envoûté son peuple, il a envoûté aussi les hommes d'Etat qui attendaient tout de la ténacité d'un peuple et de la magie d'un nom. Quand Hitler s'est rué sur la Russie, l'Occident a éprouvé un soulagement: l'espace et l'hiver russe,

les peuples de Russie avaient dévoré tant de conqué-
rants... Ce qu'un chef d'état-major américain appellera
l'étrange alliance se noue aussitôt. Comme en témoi-
gnent les télégrammes officiels, la chaleur et l'appui ne
manqueront pas, et les promesses bien au-delà de ce
que l'on peut donner.

Excepté les voyages clandestins avant la révolution,
Staline n'est jamais sorti de son pays. Depuis qu'il est
chef de l'Etat, il quitte peu le Kremlin ou Kountsevo.
Churchill et Roosevelt ne le connaissent pas, ils ont une
idée sommaire du communisme, comme Staline a
une idée schématique du capitalisme. La confusion à
l'Ouest, le mystère à l'Est, l'ignorance ou l'aversion, les
affabulations des propagandes ou des services secrets
conduisent ces hommes à donner une grande importance
à l'intuition, à l'impression personnelle. Ce sont des
démiurges devant un péril commun qui vont régler à
trois, bien au-dessus de leurs peuples accablés et étour-
dis, le sort du monde. Ils manipulent sept cents millions
d'hommes, entraînés dans un jeu de massacre qu'ils
n'ont pas su éviter. Leurs rapports personnels au travers
des télégrammes, des messagers, ou autour des tables
de conférence, ont un ton de bonne société, avec la part
nécessaire d'hypocrisie que l'on abandonne une fois
sorti du salon. Staline est le plus rude, le plus imper-
sonnel, Churchill le plus comédien, Roosevelt le plus
sincère. L'image qu'ont donnée à la postérité ces trois
premiers rôles assis en brochette à Téhéran et à Yalta
est conforme: Churchill, incorrigible nouveau-né, serré
dans sa redingote claire comme dans une couche, et qui
répète Kipling; Roosevelt, l'aristocrate infirme, avec sa

cape noire au col de velours, sorti d'un monde d'Henry James pour aller à l'idéologie; Staline qui concède à ces jours-là – parce qu'il le faut – une tenue plus brillante, moins plate, et les épaulettes d'or ornées d'une grande étoile blanche... Staline qui n'a pas de masque parce qu'il est un masque depuis beau temps, le masque de l'Employé suprême d'un Grand Mécanisme.

Staline admire Churchill, le joueur qui a tenu seul treize mois devant Hitler, et il s'en méfie comme il faut. Au moins Roosevelt lui inspire-t-il un respect. Peut-être s'étonne-t-il de cet homme d'Etat qui cherche à comprendre le communisme, à tenir ses promesses, et qui poursuit, au-delà de l'efficacité, des buts sociaux de progrès et de paix.

La première fois qu'ils se rencontrent, Roosevelt dit: « Je suis heureux de vous voir. Voici longtemps que je cherche à en faire naître l'occasion. » Et Staline répond: « La rencontre a été retardée par ma faute. J'ai été très occupé par des raisons d'ordre militaire... »

Dans l'été 1941, Roosevelt a envoyé à Staline son conseiller le plus intime, un de ces pères Joseph qui pèsent sur l'histoire plus que les assemblées, les partis, les gouvernements. C'est un joueur d'échecs passionné, intelligent, voué à Roosevelt: je l'ai connu comme un esprit progressiste dont la flamme consumait le corps. Ce sont les souvenirs d'Hopkins qui font le *Mémorial* de Roosevelt. Le 27 juillet il pénètre en Russie par Arkhangelsk, il découvre un pays monumental, un dieu monumental. Il entre au Kremlin, Staline dit: « Vous êtes notre hôte, vous n'avez qu'à ordonner. » Hopkins manifeste « l'admiration des peuples américains, pour la magnifique résistance de l'armée soviétique ». Il est arrivé là appréciant avec Roosevelt et Churchill que la Russie soviétique s'effondrerait en trois ou six semaines. Sur la foi de Staline il quittera le Kremlin en pensant le contraire. Il télégraphie : « Il n'y a à proprement parler personne dans tout le gouvernement qui consente à fournir des renseignements de quelque valeur à part M. Staline lui-même. » Après trois rencontres abruptes, où ils jonglent avec les divisions, les avions, les tanks, l'aluminium, le fret, la retraite et les saisons, Hopkins rassemble ses impressions dans un portrait :

*« Pas une fois il ne se répéta. Il parlait net et fort, comme il sait que frappent ses troupes. Il m'accueillit en quelques mots rapides en langue russe : pas de vaines paroles, pas de gestes inutiles, aucune affectation. On aurait cru parler à une machine parfaitement réglée, à une machine intelligente. Joseph Staline savait ce qu'il voulait, ce que la Russie voulait et supposait que vous le saviez... Ses réponses étaient promptes et précises, comme s'il les avait tenues prêtes depuis des années... Nul n'aurait pu oublier l'image du dictateur de la Russie tandis qu'il me regardait partir : silhouette austère, rude, résolue, avec des bottes qui luisaient comme des miroirs, un gros pantalon bouffant, et une blouse bien ajustée. Il ne portait aucun insigne, ni militaire ni civil. Il est trapu, râblé, comme le rêverait un entraîneur de football pour son gardien de but. Il mesure à peu près un mètre soixante-cinq, il doit peser dans les quatre-vingts kilos... s'il est toujours tel que je l'ai observé, il ne gaspille jamais une syllabe. Il ne cherche pas à plaire. Il semble n'avoir aucune inquiétude... Il m'a offert une de ses cigarettes et a pris une des miennes. C'est un fumeur*

*enragé – sans doute est-ce à cela qu'il faut attribuer sa voix rauque, dont il surveille attentivement la rudesse. Il rit assez souvent, mais d'un rire bref plutôt sardonique. »*

Hopkins est à la fois enchanté et triste. Il écrit: « *Avant même que mes trois jours à Moscou se fussent écoulés, la différence entre la démocratie et la dictature m'apparut plus clairement qu'à travers les propos d'un philosophe, d'un historien ou d'un journaliste. »*

Harriman, l'homme d'affaires, diplomate américain, Beaverbrook, le magnat ami de Churchill, Eden, qui succèdent à Hopkins, sont entraînés aussi par le personnage de Staline qui dessine en les écoutant, sur un bloc-notes, des loups qu'il colorie en rouge, répond seul à tout, fait des remarques pertinentes ou incongrues: « ... un pays qui produit cinquante millions de tonnes d'acier et ne me donne que mille tonnes pour mes plaques de blindage!... Le président Roosevelt qui est tellement intelligent, est-il vraiment aussi pieux qu'il le paraît? »

Si la fin de 1941 apporte des nouvelles encourageantes, les contre-offensives russes, l'attaque japonaise sur Pearl Harbor qui jette l'Amérique dans la guerre, la proclamation du principe de Roosevelt et de Marshall « l'Allemagne d'abord », l'engagement de ne pas conclure de paix séparée avec les puissances ennemies... le printemps et l'été 1942 seront les saisons des grands revers. Sur toutes les mers, tous les continents, c'est le flux japonais et allemand. En quelques mois, dans le Pacifique, en Asie, les bases américaines, les points d'appui et les protectorats anglo-saxons sont conquis.

Singapour est tombé, la route de l'Inde ouverte. En Afrique le corps africain de Rommel, parti de Tripolitaine, enlève Tobrouk et parvient aux portes d'Alexandrie en Egypte. En quatre mois deux millions de tonnes de navires anglais sont coulées: il n'y a qu'une tonne construite pour deux tonnes coulées, et les Alliés doivent suspendre les convois. En Russie, l'offensive des cent quatre-vingts divisions allemandes atteint le Don, Voronej, Stalingrad. L'Armée Rouge perd cinq mille chars, six mille canons, abandonne six cent mille prisonniers. Le drapeau allemand flotte sur le mont Elbrouz, les patrouilles allemandes atteignent la mer Caspienne. Hitler poursuit deux objectifs: s'assurer les pétroles du Caucase, détruire les armées russes.

## La chanson de Churchill

C'est alors, le 11 août 1942, que Churchill s'envole pour rencontrer et connaître Staline. Il écrit dans ses *Mémoires : « Je réfléchissais à la mission qui m'amenait dans ce célèbre et lugubre Etat totalitaire. Jadis, j'avais essayé de toutes mes forces de l'étrangler à sa naissance, et jusqu'à l'apparition d'Hitler, je l'avais considéré comme l'ennemi mortel de la liberté et de la civilisation. »* A côté de lui, son conseiller militaire le général Wavell improvisait une chanson « *... pas de second front en 1942* ». Churchill avait la tâche difficile de chanter la chanson à Staline, et de l'apaiser avec la petite compensation de l'opération Torch, le débarquement en Afrique du Nord. Il va là cynique et sportif comme Achille à la rencontre d'Agamemnon. C'est la fatalité qui veut que ces fils de Dieu mènent des millions d'hommes à la guerre et à l'extermination. Le communisme est un ennemi, mais pas Staline qui est de leur ciel, aujourd'hui rangé dans leur camp. Le rapport des forces ou des empires, la notion d'efficacité, une histoire imaginaire les met au-dessus des sentiments vulgaires : « *J'arrivai au Kremlin et me trouvai pour la première fois en présence du grand chef révolutionnaire, du stratège, de l'homme d'Etat profond avec lequel je devais entretenir au cours des trois années suivantes des relations étroites, difficiles, mais toujours d'un intérêt palpitant, et même cordiales à certain moment...* » Il est impressionné par la « *rapidité et la pénétration du dictateur russe* ». L'estime et la méfiance sont mutuelles. Avant de se séparer et de mettre au travail leurs experts et leurs généraux, Churchill s'arrête un instant devant l'homme dans sa vie familière. Il voit le logement de quatre pièces austères, la femme de charge Alexandra, Svetlana « jolie jeune fille rousse qui embrasse son père avec respect ». Ils échangent des propos personnels autour d'un cochon de lait monumental :

« – *Dites-moi, est-ce que les épreuves et la tension de cette guerre ont été pour vous personnellement aussi grandes que lors de la mise en application de la politique des fermes collectives ?*

» – *Oh non, cette politique des fermes collectives a été une lutte effroyable.*

» – *Je pensais que l'épreuve avait été dure pour vous, parce que vous n'aviez pas à faire à quelques dizaines de milliers d'aristocrates mais à des millions de petites gens.*

» – *Dix millions... Ce fut épouvantable et ça a duré quatre ans...* »

Et Churchill conclut: « *Il viendra certainement une génération qui ignorera ces misères : en revanche elle sera assurée
d'avoir davantage à manger et bénira le nom de Staline...* »

Churchill le bluffeur est aisément impressionné par
Staline le réaliste qui joue ses cartes. Quand ce dernier
paraît satisfait des avantages de l'opération Torch, ou
du récit épique d'une destruction de l'Allemagne par
l'aviation britannique, et n'insiste pas sur le second
front, Churchill n'apprécie pas tout uniment que le dictateur sait faire contenance devant l'inéluctable pour
chercher ses avantages ailleurs. Il s'ébahit et télégraphie
au Cabinet britannique: « *Tout bien considéré, mon opinion
est qu'au fond de son cœur, s'il en a un, Staline se rend compte
que nous avons raison.* »

Les liens sont fragiles. Chacun pense aux risques d'un
revirement, d'une paix séparée. Chacun sait que l'antagonisme entre le bolchevisme et le capitalisme est plus
fondamental que l'antagonisme entre l'Allemagne et la
Russie ou entre l'Allemagne et l'Empire anglo-saxon.
Un seul homme semble résolu alors à dominer cette
contradiction: Roosevelt.

Stalingrad arrangera tout: Stalingrad dans son isolement tragique, c'est-à-dire le peuple russe encore, mais
Staline aussi, le mécanicien hallucinant. Il est aussi aisé
d'attribuer la victoire de Stalingrad à Staline que de la
lui refuser, de ne pas le nommer et d'y voir les dispositions prises par un Comité central, un Collège de
généraux ou Nikita Khrouchtchev. L'histoire qui
retrouvera sur son chemin le monstre sacré du Kremlin,

des hommes admirables dans leurs fonctions (mais pas de Comité central ni de Collège), et un peuple, fera la mesure... Mais la légende, qui corrige l'analyse des hommes, qui fait la synthèse et figure l'intuition populaire, l'emportera sans doute.

Pour Hitler, Stalingrad comme le Kremlin est une provocation. Staline déclare le 11 septembre: « Plus un pas en arrière. » Le 15 il envoie Joukov. Il faut tenir au-delà des forces humaines, en attendant que soient rassemblées les réserves stratégiques. Le 19 novembre c'est la première offensive de Rokossowski, le 16 décembre un repli allemand de la boucle du Don et du Caucase; le 9 janvier l'offensive générale russe, Voronej dégagée, Léningrad dégagée; le 18 janvier Joukov nommé maréchal; le 2 février la capitulation de la sixième armée, un maréchal – von Paulus – et vingt-trois généraux.

> *La ville est fatiguée*
> *Les murs sont fatigués*
> *Les briques sont fatiguées*
> *Mais nous ne sommes pas fatigués.*

## Les conférences

Quand la conférence de Téhéran s'ouvre en novembre 1943, toutes les armées allemandes sont en retraite, le Dniepr passé, Smolensk et Kiev repris. Si le terme en est encore lointain, la victoire en Europe est assurée. Malgré les aléas, les contre-offensives de retardement, l'offensive russe est irréversible. Les fronts changent de noms, le front des steppes devient le front d'Ukraine, le front central de Moscou devient le front de Biélorussie. Les temps sont beaux. La première conférence entre les trois Grands s'ouvre dans la satisfaction et l'amitié. Dans cette époque toutes les opérations militaires et toutes les conférences portent des noms conventionnels, mythologie des Grands. Téhéran s'appelle Euréka, comme Potsdam s'appellera Terminal. Les deux partenaires anglo-saxons apportent enfin la grande opération Overlord, le Suzerain, l'invasion au travers de la Manche, seule décisive dans le lot des opérations projetées ou entreprises, Gymnaste en Afrique, Enclume à Marseille, Avalanche en Italie, Jupiter en Norvège...

Les Grands se découvrent. Pendant tant d'années, expressions des deux systèmes, les appareils autour des chefs d'Etat ont été frappés d'un chauvinisme congénital. Le fonctionnaire anglo-saxon ou le fonctionnaire soviétique, qui faisait un rapport objectif ou reconnaissait le bien-fondé d'une thèse adverse, était suspect. A l'Ouest il risquait sa carrière, à l'Est sa vie. Seuls les Grands sont au-dessus de la loi. Si désinformés soient-ils, les contacts leur permettent d'apprécier à l'aise.

On épilogue sur Overlord. On dépèce la peau de l'ours encore vivant. On débat de la deuxième étape, la reddition du Japon. Roosevelt assiste aux longs duels entre Churchill et Staline, à leurs débats sur les zones d'influence, les acquisitions territoriales. Il voit leur cynisme et leur avidité. Il s'élève au-dessus, concilie. Il va, apôtre infirme, un peu utopiste, vers les grands schémas de la paix et de l'organisation du monde, vers une association de justiciers puissants et de policiers honnêtes qui gouverneraient la planète, sans prévoir que ce sont les justiciers dressés les uns contre les autres qui mettront le monde au bord de l'abîme. Churchill est pareil à lui-même, si personnel, emporté sur sa route impériale. Staline intraitable et cynique, mais sans hypocrisie, prépare le glacis pour son empire, Etats Baltes, Prusse, Pologne. Roosevelt, seul, reste emporté par son espoir et son rêve, sans penser qu'il faudrait au moins qu'il survive pour que ce rêve intempestif prenne corps. Et la dernière phrase de Téhéran est vraiment la sienne: « *Nous nous quittons amis de fait, d'esprit et d'intentions.* »

### Le rideau

On peut suspendre ici les réflexions sur Staline et ses pairs, sur les appréciations et les sentiments réciproques. Il n'y aura plus, si fortement, le dialogue entre trois grandes personnes, dans un monde qui leur est soumis par des années d'angoisses et de révérences. Les deux dernières conférences seront d'une autre nature, Yalta qui s'appelle Argonaute, Potsdam qui s'appelle Terminal: toison d'or et peau de chagrin. Les systèmes ont repris leurs droits. Dans ces systèmes antagonistes, dans les appareils, tout se juge en rapport des forces. Quand il s'agit de transcrire dans les faits, les intentions proclamées, de tracer des frontières, d'entendre les peuples, d'installer des gouvernements, cela se résume en trois termes: sécurité, influence, puissance... Le péril passé, le vrai débat commence: « Qui sera dans ton

camp, qui sera dans le mien?... Je t'ai laissé la Yougoslavie, donne-moi la Grèce... La Pologne faisait partie
de votre cordon sanitaire, elle fera partie du nôtre...
Partageons l'influence sur la Hongrie et l'Autriche... »
L'ancien monde encore riche et qui domine les deux
tiers du globe emploiera la carotte, et le nouveau monde
encore fragile et accablé, emploiera le bâton.

Il est vrai qu'à Yalta, l'heure des verres levés, des
saluts innombrables peut faire illusion. Pour Staline,
Churchill est « l'homme d'Etat le plus courageux qui
soit au monde ». Pour Churchill, Staline est « le puissant
chef d'un puissant pays, qui conduira son peuple de
succès en succès ». Seul Roosevelt parlera d'une réunion
de famille et dira: « *Il demeure de vastes régions où les peuples
ont peu de chances de bonheur et d'espoir... Le but de ceux qui
sont ici est de donner à tous sur cette terre la sécurité et le
bien-être...* » Chacun se quitte en félicité. Il ne faudra pas
plus d'un mois pour qu'elle se dissipe. En mars, pour
l'Occident, Yalta est devenu un accord honteux. A la
mi-avril Roosevelt meurt.

Il était le seul des Grands à croire que « les peuples
de toute espèce peuvent vivre et travailler ensemble
dans le même monde en paix ».

Six mois plus tard, en juillet 1945, à Potsdam, Staline restera le seul des trois grandes personnes. Roosevelt mort, Churchill écarté par son peuple après la
victoire, ce sont Truman, le commerçant, le petit et le
modeste Attlee qui apposeront leur signature. La guerre
est terminée avec l'Allemagne: reste le Japon. On dispute des gouvernements que l'on octroie aux nations

vaincues, du transfert des populations, de l'isthme entre l'Oder et la Neisse que s'est attribué Staline, et des épingles, les districts turcs de Kars et d'Ardahan, la tutelle sur les colonies italiennes, l'influence en Syrie et au Liban.

Au cours d'une brève conversation digestive, après dîner, le 24 juillet, Truman annonce négligemment à Staline que les Etats-Unis ont la bombe atomique et qu'ils vont l'expérimenter sur le Japon... « *Je surveillais le visage de Staline* – nous dit le secrétaire d'Etat Byrnes – *il sourit, se borna à quelques mots, et Truman lui serra la main...* » Sur le chemin, le président américain donne l'ordre à l'aviation stratégique d'être prête à larguer la bombe à partir du 3 août. Truman écrit à sa mère: « On n'a jamais vu des têtes de cochon comme les Russes. J'espère que je n'aurai plus jamais à tenir une conférence avec eux... mais bien entendu, je le ferai. » Le rideau est tombé sur l'Oder.

6 août, Hiroshima, 9 août, Nagasaki. Les Grands et leurs savants aveugles ont fait un présent aux hommes. A ces dates la correspondance secrète, entre Staline, Attlee et Truman, traite des citoyennes soviétiques qui ont épousé pendant la guerre des citoyens britanniques et de la nomination de Mac Arthur pour recevoir la reddition des Japonais.

V

*L'idole et sa victoire*

Le 24 mai 1945, au Kremlin, Staline lève son verre à la santé d'un peuple élu, du peuple russe, qui a mérité dans cette guerre « *la reconnaissance universelle en tant que force dirigeante de l'Union soviétique, parmi tous peuples de notre pays* ». Et il déclare :

— *Notre gouvernement a commis pas mal de fautes. Il y a eu des moments entre 1941 et 1942 où la situation était désespérée, alors que notre armée se repliait abandonnant les villes et les villages... un autre peuple aurait pu dire à son gouvernement : « Vous n'avez pu justifier notre attente. Allez-vous-en. Nous mettrons à votre place un autre gouvernement qui signera la paix avec l'Allemagne et nous assurera le repos... » Mais le peuple russe n'a pas suivi ce chemin.*

Et le matin du 24 juin, sous une grande pluie, dans un bruit de chars et de chevaux, devant des foules en délire, l'armée vient jeter aux pieds de Staline debout sur le mausolée, les emblèmes et les drapeaux pris à l'armée allemande.

Les émotions chez une idole sont sans lendemain. Elles sont historiques. L'un des meilleurs portraits qu'on ait fait de Staline, alors, est celui du général de Gaulle, dans ses *Mémoires*. Il l'admire. A l'Ouest, la bonne société ne hait pas Staline. Elle hait le communisme, pour ses conséquences économiques et sociales, comme pour son rappel des sources chrétiennes que les religions occidentales ont trahies. On peut admirer Staline pour ce qu'il a de ressemblance avec les monstres sacrés de notre Histoire civilisée que peignent avec complaisance tant de manuels. Chateaubriand-de Gaulle prend la plume pour parler :

« *Nous séjournâmes huit jours à Moscou... Comme il était naturel, ce qui allait être dit et fait d'essentiel le serait entre Staline et moi. En sa personne et sur tous les sujets, j'eus l'impression d'avoir devant moi le champion rusé et implacable d'une Russie recrue de souffrance et de tyrannie, mais brûlant d'ambition nationale.*

» *Staline était possédé de la volonté de puissance. Rompu par une vie de complots à masquer ses traits et son âme, à se passer d'illusions, de pitié, de sincérité, à voir en chaque homme un obstacle ou un danger. Tout chez lui était manœuvre, méfiance et obstination. La révolution, le parti, l'Etat, la guerre, lui avaient offert les occasions et les moyens de dominer. Il y était parvenu, usant à fond des détours de l'exégèse marxiste et des rigueurs totalitaires, mettant en jeu une audace et une astuce surhumaines, subjuguant ou liquidant les autres.*

» *Dès lors, seul en face de la Russie, Staline la vit mystérieuse, plus forte et plus durable que toutes les théories et que tous les régimes. Il l'aima à sa manière. Elle-même l'accepta comme un tsar pour le temps d'une période terrible et supporta le bolchevisme pour s'en servir comme d'un instrument. Rassembler les Slaves, écraser les Germaniques, s'étendre en Asie, accéder aux mers libres, c'étaient les rêves de la patrie, ce furent les buts du despote. Deux conditions, pour y réussir :*

*faire du pays une grande puissance moderne, c'est-à-dire indus-
trielle, et, le moment venu, l'emporter dans une guerre mondiale. La première avait été remplie, au prix d'une dépense
inouïe de souffrances et de pertes humaines. Staline, quand je
le vis, achevait d'accomplir la seconde au milieu des tombes et
des ruines. Sa chance fut qu'il ait trouvé un peuple à ce point
vivant et patient que la pire servitude ne le paralysait pas,
une terre pleine de telles ressources que les plus affreux gas-
pillages ne pouvaient pas les tarir, des alliés sans lesquels il
n'eût pas vaincu l'adversaire mais qui, sans lui, ne l'eussent
point abattu.*

*» Pendant les quelque quinze heures que durèrent, au total,
mes entretiens avec Staline, j'aperçus sa politique, grandiose et
dissimulée. Communiste habillé en maréchal, dictateur tapi
dans sa ruse, conquérant à l'air bonhomme, il s'appliquait à
donner le change. Mais, si âpre était sa passion qu'elle trans-
paraissait souvent, non sans une sorte de charme ténébreux. »*

Seule la guerre pouvait être plus cruelle que Staline.
Elle avait donné une espèce d'apaisement et de perspective à son génie. Mais après la victoire qui lui
apportait la confiance et la gratitude d'un peuple, le
répit ne durera pas.

### Conquête et concentration

Sur les vingt-cinq années de l'ère stalinienne, cet
entracte excepté, l'obscurité et la confusion ne sont pas
encore dissipées, malgré les révélations de Nikita
Khrouchtchev au XXe et au XXIIe Congrès. Dans un

pays où les offensés ont décidé d'accepter l'offense, dans une cité en gestation où il faut démêler les écheveaux confondus du stalinisme et du communisme, on se perd encore, ou on ruse, mêlant la pudeur, la peur et l'exégèse, mettant en balance l'œuvre accomplie et les centaines de milliers de morts, les millions de jours de prison, séparant l'œuvre des hommes qui l'ont accomplie et des moyens employés.

Interprétant Marx, le codifiant, Staline a substitué à notre Dieu commode, les fins de l'Histoire, c'est-à-dire un Grand Mécanisme, une doctrine du sort final de l'univers qui est le Paradis futur sur terre, et qui passe par une apocalypse dont Staline est le héros inévitable... Tous ceux qui refusent la vision du chef seront nommés bourgeois, capitalistes, révisionnistes, vipères lubriques. Tout ce qui doute est agent de corruption. On revient mille ans après au manichéisme, au fantastique du Christ et de l'Antéchrist, au monde dualiste du bien et du mal. Et Staline est devenu une énorme araignée, prise dans son système, qui ne connaît pas les mouches qu'elle mange.

Malgré les dix-sept ou vingt millions d'hommes qui ont péri de la guerre, malgré les deux tiers du territoire européen dévasté, la puissance agricole et industrielle si réduite, le pays est soulagé par la victoire. La révolution trouve sa sécurité dans la fin du fascisme, dans le partage de Yalta et derrière le rideau de fer. Mais l'œuvre de reconstruction, la poursuite des objectifs retardés, la menace d'une nouvelle croisade rendent cette sécurité précaire. Un peuple qui a tant souffert peut-il souffrir encore pour rejoindre les nations nanties? L'armée, les techniciens, les intellectuels qui ont circulé au-delà de la frontière ont goûté du fruit défendu. Si on ne leur cache pas les apparences, la connaissance et le spectacle des richesses accumulées et du savoir-vivre ne risquent-ils pas d'affaiblir l'obstination et le courage, de conduire à la trahison?

Staline se voit contraint d'imposer aux peuples une nouvelle période de sacrifices et d'efforts rigoureux, d'écarter, par un rideau de silence et de contraintes, les tentations, la contamination. Les peuples soviétiques sont maintenus dans un univers concentrationnaire; et il faut que les pays livrés à son influence constituent un glacis idéologique aussi bien que militaire.

En moins de quatre années, les Etats concédés à l'influence, de la Pologne à la Bulgarie, deviendront un cordon sanitaire de satellites étroitement dominés.

Staline commence par une politique souple, modérée, respectant jusqu'à un certain point les formes démocratiques et parlementaires bourgeoises. Mais depuis Potsdam, les dés sont jetés. L'Occident soutient les trônes ébranlés de l'Europe orientale, les anciens partis hostiles au communisme. Les bourgeois de l'Est européen, sans énergie, incapables de reconstruire et de réformer, préfèrent mendier à l'Ouest que de participer à l'Œuvre. Les enfants terribles, polonais et yougoslaves, se cabrent contre Moscou. Les nationalistes polonais, partagés d'une haine égale contre la Russie et l'Allemagne – mais l'Allemagne est vaincue – gardent le souvenir des impitoyables occupations et cherchent la tutelle occidentale. Les Yougoslaves sont amicaux, mais déclarent déjà, par la voix de Tito: « Nous ne voulons pas être une monnaie d'appoint, nous ne voulons plus être dépendants de personne... »

La guerre froide est là. A la répartition, bien partielle, des richesses que les Etats-Unis proposent dans le Plan Marshall, Staline oppose la répartition des privations et des peines.

1947 est le tournant. Le discours de Churchill à Fulton, la riposte de Staline: « *L'influence des Partis communistes ne s'est pas seulement accrue en Europe orientale, mais dans presque tous les pays d'Europe* », entretiennent la peur et l'esprit de croisade. Le bureau d'information des Partis communistes est mis sur pied à Bialystok. Il deviendra vite une annexe du Comité central soviétique maîtrisé par Staline. Jdanov est là. Dans l'année qui suit, les Partis socialistes, dont les dirigeants sont pour la plupart tournés vers l'Ouest, sont liquidés. Vychinski est à Sofia. En présence de Zorine, vice-ministre des Affaires étrangères, une révolution, qui est aussi une succession de coups d'Etat à droite et à gauche, éclate à Prague. Jan Mazaryck se suicide, Benès s'en va. Les dirigeants yougoslaves sont mis en accusation, condamnés: Moscou appelle à l'insurrection en Yougoslavie. La vague d'épuration et d'autocritique s'abat sur les nouvelles démocraties populaires. Les chefs communistes qui manifestent un esprit d'indépendance sont, les uns jetés en prison, soumis au système de la question, les autres supprimés. En Bulgarie, Dimitrov, le secrétaire de l'Internationale, s'efface, Kostov est

exécuté; à Budapest c'est Rajk; à Varsovie on installe
le maréchal Rokossovski, on jette en prison Gomulka.
Les tenants du Kremlin, insuffisamment dociles, seront
éliminés les uns après les autres, Slanski, Clémentis,
Kostov. On dote chaque Etat de son petit Staline: Gro-
tewohl et Ulbricht en Allemagne, Biérut en Pologne,
Gottewald en Tchécoslovaquie, Rakosi en Hongrie,
Tchervenkov et Anna Pauker en Bulgarie et en Roumanie.

### Obsession et sénilité

A l'intérieur, pendant ces années, la tempête d'épuration et de disparitions, le cirque incohérent de desti-
tutions et de promotions alternées, va recommencer.
La vieillesse des tyrans envahie de manies et de vanités
est redoutable. Staline a identifié la survie et la sécurité
de la révolution avec sa propre survie. A l'approche
des soixante-dix ans, avec une vie phénoménale – si
austère qu'elle ait pu être sur le plan individuel – son
esprit, ses nerfs se délabrent. Il entre dans un monde
d'obsession et de sénilité.

Enveloppé dans le brouillard, le peuple est plus tranquille. Le jeu se joue dans l'entourage et le parti. Staline
divise pour régner. Il écarte et il reprend: le chat et la
souris. Personne ne doit jamais être assuré. Il regarde
les interlocuteurs pour les troubler et dit: « Pourquoi
avez-vous le regard sournois aujourd'hui? » Il a des
séides comme Béria, Jdanov, Kaganovitch, Vychinski,
des absolument fidèles comme Molotov, et Vorochilov.

Il les soupçonne aussi et il faut que chacun subisse une épreuve ou une peine. Il a envoyé au camp la femme de Molotov. Kalinine, le président de la République, est allé voir, dit-on, son épouse en prison et a demandé pour elle un meilleur lit.

Shakespeare... Il y a en 1946 à Moscou, le plus grand acteur juif, l'un des plus prodigieux interprètes de Shakespeare. Kaganovitch en fait part à Staline. Il a été étonné de la puissance de cet acteur, si beau dans sa laideur et sa petite taille, et qui porte au dernier acte, avec l'aisance d'un fou, le corps de Cordélia. Il en parle à Staline. Staline, qui ne va plus au théâtre, l'envoie chercher. Et certains soirs, dans une chambre du Kremlin, pour Staline seul, l'acteur Mikhoels récite des scènes du *Roi Lear*:

> *The weight of this sad time we must obey*
> *Speak what we feel, not what we ought to say...*

Une nuit il rentre chez sa femme et dit dans un sarcasme: « Empêche que je me lave les mains. Ma main vient de toucher celle du grand Staline... » Pourtant alors, Staline ne se reconnaît pas dans Shakespeare.

Un jour pendant la guerre, il recevait quelques écrivains, dont Fédine (et sans doute Fadeïev, l'auteur de *La Jeune Garde,* qui devait se suicider après la mort de Staline pour échapper à ses fantômes). Il leur explique la littérature telle qu'il la voit. Elle se résume pour lui à deux expressions, celle de Shakespeare, celle de Tchékhov. Shakespeare prend un petit héros et y place toute la tragédie des événements et de l'univers. Tchékhov fait l'homme goutte à goutte avec le quotidien. Staline conclut en disant que s'il était écrivain, il aurait choisi Tchékhov. Mais il a vécu selon Shakespeare.

Deux années après les récitations du *Roi Lear* aux abords de Minsk, le corps de Mikhoels est retrouvé, sous les roues d'une voiture, le crâne défoncé par un outil de fer. Quelques mois auparavant, il avait sollicité de Staline avec quelques intellectuels juifs, d'installer en Crimée une République de juifs. Peu après la mort de Mikhoels, annoncée dans la presse, une des rares personnes familières qui voyaient Staline à Kountsevo l'entend dire au téléphone, parlant de l'acteur: « Eh bien! cela sera un accident... »

## Les séides

Le pouvoir est dans la tête fatiguée de Staline et dans la main des séides.

Béria constitue un Etat dans l'Etat, avec son budget, ses troupes, sa main-d'œuvre, ses usines, sa politique. Il a le regard glauque et la lèvre molle. En 1948, il est, au Bureau politique, le seul Géorgien avec Staline. Au cours des séances, ils échangent des dialogues en géorgien que les autres ne comprennent pas et qui les mettent en état de malaise. Ce n'est pas un idéologue, mais un aventurier vicieux, jouisseur érotique et paillard, un empirique. Sa voiture longe la rue Gorki où il ramasse des femmes. Il a un petit parc aux cerfs que l'on voit certains jours cerné et truffé de gardes. Bon

organisateur, maître de services secrets aux moyens
illimités, on dit que c'est lui qui, par le travail concentrationnaire, le recrutement ou l'enlèvement à l'étranger
de savants atomistes a aidé grandement que soit comblé
le retard et a doté l'Union soviétique de l'arme atomique. Chargé de la sécurité des membres de la présidence (le Bureau politique), les mesures qu'il prend
sont autant de moyens d'inquisition et de chantage.
Il contrôle le logement, les déplacements, les familles,
la vie privée, la cuisine. Il forge les histoires, épie les
victimes : et on trouvera après sa mort, dans son appartement, des monceaux d'objets sans valeur, fruit de ses
pillages.

Il est entré dans la Tchéka à vingt-deux ans en 1921.
Camarade, *alter ego* de Staline dans les affaires géorgiennes, il règne sur le Caucase, puis d'initiales en initiales, de sigle en sigle (Tchéka, G.P.U., N.K.V.D.,
M.V.D.), il fait carrière dans l'appareil policier pour le
gouverner enfin. Epurateur des épurateurs, liquidateur
de Iejov, il restera jusqu'à la mort de Staline. Le cercle
sera fermé quand il quittera le ministère où il met ses
hommes interposés entre le ministère et le Bureau politique lui-même. S'il est personnellement dévoyé et
cruel, il n'est pas fanatique et sait être libéral. En 1938,
il est l'un de ceux qui accourent à Matsesta en Géorgie
pour mettre en garde Staline contre la politique des
purges qui a délabré l'industrie lourde et l'armée. Il se
fait, au XVIIIe Congrès, le champion de la libéralisation;
il réhabilite et libère. Après la guerre, c'est lui, dit-on,
qui protégera Kapitza, capital précieux, savant ato-
miste qui refuse de se consacrer à la bombe et qui ne

sera astreint qu'à une bénigne résidence surveillée.
Dilettante, il doit avoir des doutes sur ses capacités
à succéder à Staline. Malenkov et lui font équipe. Il a
peur aussi. Il ne survivra à Staline que de quelques
semaines. Les historiographes débattent encore entre
les deux versions de sa mort: la version officielle du
jugement et de l'exécution en juillet 1953; le récit bien
accrédité de la séance d'avril au Kremlin, au cours de
laquelle il aurait été abattu par ses pairs, les présidents.

Qui était derrière Staline, quel inspirateur? se deman-
daient Truman et quelques-uns des Grands qui l'ont
approché. Personne. S'il avait bien une équipe, elle
était de séides et d'hommes liges pour la plupart membres du Bureau politique.

Jdanov avait échappé à la peur, en mourant à cin-
quante-deux ans en fin de 1948. On le désigne comme
fils d'un inspecteur d'Académie: il serait le fruit d'une
dynastie de popes. Il est de la promotion de janvier 1934
avec Kirov et Kaganovitch. Il émerge après l'assassinat
de Kirov: il mène l'épuration sanglante de Léningrad
où il jouera, huit ans plus tard, un rôle éminent et
courageux dans la défense de la ville.

Dès 1935, on le désigne comme un dauphin possible.
Pendant treize années, il gardera une toute première
place auprès de Staline, parce qu'il est bon exégète et
grand théoricien marxiste. Il est un dictateur aux lettres
et aux arts – aux sciences aussi – du goût de Staline,
slavophile et méfiant de l'Europe. Il fait de Lyssenko
un pape; il condamne la poésie d'Achmatova et la
satire de Zoshchenko, le cosmopolitisme en musique

et en peinture. Ses manies sont l'Opéra où il suit des cours, et le piano. Il tape dessus pour montrer la supériorité de Tchaïkovsky sur les modernes. Sa pédanterie, sa férocité et son manque de scrupules s'accommodent d'un humanisme de principe. Pourtant, malgré l'aversion qu'il laisse, certains jugements sont nuancés. Les étrangers le considèrent comme l'intellectuel, le bien élevé du Bureau politique, cultivé parmi beaucoup d'incultes. Il parle aisément le français et l'allemand, sait dire l'anecdote. On souligne son courage et sa popularité au siège de Léningrad.

Quand il meurt en 1948, soi-disant victime du complot des blouses blanches, il est à l'apogée. Il a animé le Kominform, pourchassé les juifs, préconisé une politique d'expansion en Europe, de guerre idéologique et de guerre froide.

Lazare Kaganovitch est un vieux bolchevik qui a rejoint la révolution, à dix-sept ans, en 1911. Il est, après le Congrès de la victoire, le seul juif du Bureau politique. Son entregent et sa culture distraient Staline. En 1923, il s'est lancé avec passion dans la lutte contre Trotski et il est devenu avec Molotov une espèce de chef du personnel auprès du secrétaire général Staline. A trente-sept ans, c'est l'un des plus jeunes membres du Bureau politique, et le patron à Moscou, métropole industrielle. Il a donné, avec Khrouchtchev, à Staline le métro. Il succède à Ordjonikidzé comme commissaire à l'Industrie lourde. Il est du petit Cabinet de guerre. Dernier juif familier du maître, il restera un dénonciateur. Partagé entre la servitude et la peur, il persécute les juifs. La rumeur veut, sans beaucoup de vraisemblance, qu'il se soit révolté dans les derniers jours.

Malenkov, le plus jeune, brun et gras, à la charpente, au visage et à l'œil lourds, dont l'origine est mal connue, passe de l'Armée Rouge (où il est commissaire d'un régiment de cavalerie) à la Technique et à l'Appareil. C'est un technicien plutôt qu'un bolchevik. Il est en 1930 un secrétaire personnel de Staline. L'intimité ne se démentira jamais. Il sera encore son collaborateur le plus intime au Cabinet de guerre. Avec une touche personnelle et l'habileté, il a toujours copié Staline. S'il est spécialiste en 1937 de la dénonciation et au besoin de l'affabulation de sabotage, il sait mettre en forme les pauses et la détente aussi bien que les répressions. Il dénonce en 1939 le snobisme des généalogies ouvrières, les bureaucrates ignorants et prétentieux, et il brocarde ceux qui méprisent les sans-parti. Sans doute a-t-il un fond de pusillanimité et de perplexité. En 1949, en 1952, les images et le rituel le désignent comme dauphin. Il ne faudra que quelques jours pour que le pouvoir lui échappe, après la mort de Staline.

Le successeur sera Khrouchtchev.

*Portraits et natures mortes*

C'est à cette époque qu'un bon peintre est invité à faire le portrait. Par mesure de sécurité, par goût, Staline ne sort presque plus. Il ne veut pas poser: on profitera d'une des rares apparitions au Grand Théâtre

pour placer le peintre dans une loge voisine afin qu'il
puisse prendre quelques esquisses. Le peintre renon-
cera : comment faire le portrait d'un portrait ?

Que reste-t-il des portraits, des fantômes familiers
qui ont accompagné sa vie ? Il n'a chez lui aucune
image, ni celle de sa mère Catherine, comme une nonne
dans sa coiffe carrée et sa robe jusqu'à terre, sur un
banc au jardin de Tiflis... Ni celle de Catherine, le premier amour, ni celle de Nadiejda le second. Il a dispersé
l'album de famille. Chez les Svanidzé, il y avait un
frère et trois sœurs. Il a envoyé le frère Alexandre, sa
femme et son fils aux camps. Seul l'enfant reviendra. Il
a envoyé la dernière Mariko en prison où elle sera
abattue. Des enfants de Serge Allilouev, son beau-père,
l'ouvrier mécanicien au cœur d'or qui réunissait Lénine
et Staline dans sa maison, il ne reste personne : Nadia
la suicidée est une stèle au cimetière de Novodievici,
sur la Moskva, où sont les tombes de Tchékhov et du
fils Gorki. Le frère Paul, le favori au cœur trop tendre,
est mort d'une attaque au cœur dans son entreprise
décimée par la déportation. Anna, la sœur, dont le mari
Redenss a été abattu par Iagoda, est envoyée au camp
en 1948, après avoir écrit un livre de souvenirs pourtant
apologétiques qui ont mis Staline en fureur.

Le temps des jeux – le billard et les quilles – des
pique-niques avec Iénoukidzé, Kirov et Budu Mdivani,
des petites assemblées enfantines où l'on voit mêlés les
enfants de Staline et de Boukharine, les temps du bateau
sur la mer Noire, et de Sotchi, sont loin.

Staline a eu trois enfants. Son fils Jacob – le fils de Catherine – était très beau, aimé de chacun. A peine sorti de l'adolescence, il tente de se suicider. Son père ne le lui pardonne pas, refuse de le voir: un fils de Staline ne fait pas cela. En juillet 1941, Jacob est parti colonel: son régiment est emporté en Biélorussie par la vague allemande. Il est prisonnier. En 1943, Hitler fait proposer d'échanger Jacob Staline contre von Paulus, le maréchal vaincu. Staline refuse. Les uns y voient la grandeur romaine, les autres le comportement d'un père sans pitié. Jacob disparaît, on ne retrouvera ni le corps, ni la trace.

Staline n'aime guère Basile, son second fils, qui est médiocre, hâbleur et buveur. Il téléphone à son père d'un théâtre d'opération: «Ici le général Staline.» – «Tu es colonel et tu resteras colonel...»

Portraits de famille: sa fille Svetlana est la préférée. A quoi sert d'être la fille de Staline sinon à être marquée par le destin comme Antigone:

> *Je ne pensais pas que ton décret*
> *Pût mettre la volonté d'un homme*
> *Au-dessus de l'ordre des dieux*
> *Au-dessus des lois qui ne sont pas écrites*
> *Et que rien ne peut ébranler.*

Svetlana ne peut être partagée qu'entre la piété et l'horreur. Elle a un visage fin de daine au pelage roux, aux yeux pervenche. Quand elle a six ans sa mère meurt, l'âme détruite par le père. Elle n'oubliera pas ce matin du 9 novembre où elle a vu, avant qu'on ne l'écarte pour qu'elle ne soupçonne pas le drame. A huit ans, si son père la porte encore dans ses bras, si elle joue encore, en col marin, sur le bateau, les visages intimes, les compagnons de jeux disparaissent un à un. Après 1937, il n'y a plus de vacances à Sotchi : son père s'écarte. Quand elle entend la voix, quand elle voit le visage, elle n'y lit plus que des événements historiques, la débâcle de juin 1941, les satisfactions de Téhéran ou de la victoire. Il est l'Absolu. Quand elle veut épouser un juif, Alexis Kapler, Staline déclare que c'est un espion anglais et l'envoie au camp. Les visites, les rencontres marquent les cérémonies ou les admonestations : l'entrée à l'Université, le premier mariage réprouvé, la victoire, la naissance du premier petit-fils, le second mariage approuvé, le baiser du soixante-douzième anniversaire.

Staline, comme Macbeth, a son cauchemar : qui faut-il tuer, écarter, pour que sa révolution, son empire survivent ? A-t-il eu une lady Macbeth, une dernière compagne ? Le jour de sa mort, toutes les agences occidentales annoncent que la troisième compagne, Rosa Kaganovitch – une sœur ou une nièce de Kaganovitch – assistait à la mise en bière. Les familiers, les officiels ignorent ou feignent d'ignorer aujourd'hui cette Rosa. Est-ce un mythe occidental, ou un secret moscovite ?

Kountsevo, le terrier, est une grande maison de deux étages construite en 1934, à dix kilomètres du Kremlin, non loin de la chaussée de Léningrad. Le premier étage est désaffecté. Staline n'occupe que deux ou trois pièces en bas. On ne peut en désigner l'usage, bureau, chambre à coucher ou salle commune. Elles sont à tout faire, austères et dépouillées. L'une a une longue table, pleine de papiers, de journaux, de livres, un sofa sur lequel il se jette la nuit; l'autre est une grande table encore où viennent s'asseoir et manger les visiteurs, et un sofa. Il y a peu de meubles, peu d'objets, pas de tableaux: il ne les aime pas. Sur l'un des murs, des images découpées dans des journaux entourent un portrait de Cholokov. Staline n'aime que les tapis et les sofas et les cheminées. Elles sont en coin: il y fait allumer de grands feux de bois. Les deux pièces ont trois terrasses, est, sud, ouest: aux belles saisons Staline suit le soleil, va de l'une à l'autre, et s'assied, dans un vieux manteau usé, presque une loque, dont il refuse de se séparer. Il regarde les cerisiers, les pommiers, surtout les roses. Il a abandonné les distractions d'antan, le billard et les quilles. Il remâche des heures durant le système qu'il a dans la tête. A la table avec les visiteurs, il se livre de plus en plus à son goût des plaisanteries sinistres... A cinq cents mètres de Kountsevo, il y a une autre maison. Elle n'a qu'un seul étage, elle est disposée en croix. Les quatre accès sont de plain-pied. Une rivière la sépare de la maison de Staline, mais on a construit un pont assez large pour que puissent y passer des formations motorisées. C'est la maison des gardes du corps. Tout est prévu pour qu'ils soient là au premier appel. La maison est devenue aujourd'hui un hôpital.

Staline aime la solitude, peut-être la peur. Il écarte le peuple de policiers et de gardes qui reniflent autour, et qui doivent apparaître au signal.

C'est sur un tapis, au pied d'un sofa, qu'on le retrouvera inanimé.

## *Iconographie et liturgie*

Quand je vins à Moscou pour la première fois en 1949, la ville et le pays étaient submergés par l'iconographie stalinienne: le portrait partout, dans les logements, dans les rues, en pierre, en bronze, en carton. Comme dans toutes les sociétés en religion, l'art officiel – le seul qui subsistât – vous donnait une image fade et sulpicienne, qui vous poursuivait comme un malaise. Staline était grand. Son visage, dépouillé des stigmates du temps et de la violence, était celui d'un aïeul malin, bourru et bon, rajeuni et maquillé pour un théâtre d'enfants... Mais cette image traduisait aussi les brefs moments de beauté qu'avait donnés à cet homme un amour concentré et tyrannique pour sa famille, sa tâche et son pays. C'était un dieu cruel dont on vous apprenait qu'il ne pouvait vous faire souffrir que pour votre bien.

La foule était encore famélique. Mais chacun pouvait mesurer le chemin parcouru depuis trente ans. Dans ce pays mal logé, mal vêtu, où la chaussure était la plus chère du monde et le livre le meilleur marché, où la ficelle cassait toujours tandis que poussaient les usines et les barrages, et que la télévision se posait sur le toit de l'isba la plus pauvre, chaque être avait deux âmes: celle du présent, de la contrainte et de la peur, celle d'un avenir de sécurité, d'équité et de loisir qui serait assuré par le communisme.

Tout ce qui vient de l'esprit est dirigé, incliné ou enfoui dans un silence où germe la graine. Le visiteur doit se contenter d'entendre les litanies du bonheur futur, les imprécations contre les autres systèmes ou les autres religions, de voir se lever la pierre et l'acier, et le blé dans les terres défrichées. Il constate, dans cette foule façonnée par le régime, une âme généreuse, une placidité dans l'épreuve et une confiance dans l'avenir.

Les bienfaits chantés avec un lyrisme convenu, les méfaits chuchotés de bouche à oreille, prennent également un caractère légendaire. La tragédie s'est un peu éloignée du peuple. Il respire mieux que dans les années 1937 ou 1942. Le drame se joue cette fois au sommet, pour quelques centaines de milliers d'hommes, dans les avenues du pouvoir, autour de dirigeants, de spécialistes, d'intellectuels.

Hors les cérémonies, les imageries, à part la centaine d'hommes aux leviers de commande, personne n'approche Staline. En France, ceux qui se sont entretenus avec lui se comptent sur les doigts. Staline qui a déjà si peu voyagé ne va nulle part. Confit dans les exemples qu'on lui apporte – et au besoin que l'on forge, comme Potemkine le faisait pour Catherine la Grande – confit dans les plans et les statistiques, il ne voit pas plus le monde d'en bas comme il est, que ce monde d'en bas ne le voit.

Il est Hyde et Jekyll. La mégalomanie et la manie de la persécution en ont fait un fou, un fou qui accompagne l'autre Staline, qui porte encore une sagesse, une pénétration, un savoir.

En 1949, l'œuvre est à l'apogée. En quatre années, la production industrielle et agricole a regagné ou dépassé son niveau d'avant-guerre. La révolution chinoise est accomplie : le système contrôle plus d'un milliard d'hommes. L'Union soviétique a la bombe atomique. L'Europe conquérante du XIXᵉ siècle voit mettre en cause toutes ses conquêtes coloniales. La guerre de Corée va venir, dont les données restent encore obscures, mais que Staline ne semble pas avoir souhaitée. Pour l'épine dans le pied, la Yougoslavie, le Bureau d'information et tous les Partis communistes déclarent qu'il s'agit « d'assassins, d'espions, d'impérialistes ».

On va fêter le soixante-dixième anniversaire. Dans les cahiers communistes, Staline est salué comme le savant universel d'un type nouveau, comme « *l'homme au grand cœur dont les femmes et les mères ont fait aimer le nom à leurs enfants* ». Mais aux cérémonies, c'est déjà un vieillard en représentation soumis aux tyrannies d'une hygiène. Au Grand Théâtre, devant ses compagnons stupéfaits, il s'oublie et fait le salut militaire tête nue. On parle des sosies qui le remplacent aux cérémonies.

Pour les trois dernières années de gouvernement intérieur et de comportement, il est plus difficile encore de distinguer la version fabuleuse de la version authentique. Il faut prendre une affaire, chercher, recouper pour faire une image qui puisse approcher de la vérité. Deux événements jettent des lumières sur les derniers mois : le XIXᵉ Congrès, l'affaire des blouses blanches.

Le 5 octobre 1952, à sept heures du soir, le XIXᵉ Congrès s'est ouvert au Kremlin, dans le délire concerté de quinze cents participants, acclamant debout Staline « le cher Staline bien-aimé », « le guide génial », rythmant les applaudissements. Malenkov fait le rapport d'activité. Est-il déjà le successeur désigné? Staline laissera jusqu'à la fin planer l'incertitude. Harriman demandera plus tard à Khrouchtchev: « N'avait-il pas désigné son successeur? » – « Non. Il n'a désigné personne. Il se croyait immortel. »

Le 14 au soir, Staline parle brièvement, lourd et lent, portrait d'un portrait. Il ne semble pas si vieux. C'est la dernière fois. Il ne fait que saluer les partis frères. Il fait acclamer leurs dirigeants, les « guides des peuples », français, italiens, allemands, chinois, coréens, hongrois... Au premier rang, les successeurs dont la chaîne commence par Kaganovitch, Malenkov, Béria; plus loin un petit homme à l'œil vif que l'on ne désigne pas encore, Khrouchtchev qui présentera le rapport sur les statuts du parti et échappera cette fois à la corvée religieuse d'encenser le dieu... à droite, en tête des partis frères, Togliatti et Thorez. Le Congrès n'est qu'une longue apologie pesante, particulièrement de la dernière œuvre: « Les problèmes économiques du socialisme en U.R.S.S... » Sept ans plus tard, c'est un poète qui devait traduire dans un poème paru dans le journal *Pravda* les sentiments de beaucoup de ces hommes:

> *Pour chanter ses louanges*
> *Nous rivalisons de zèle*
> *Il n'y a rien à retrancher ici*
> *Rien à ajouter*

*Ce fut ainsi*
*Déjà il voulait assister*
*A la glorification*
*Que nous lui préparions*
*Tous en chœur*

*Il était pressé*
*Tout lui semblait insuffisant*
*Si la Volga a rejoint le Don*
*Si d'étranges gratte-ciel se lèvent à Moscou*
*Il manque un canal*
*Que l'on pourra voir de la planète Mars.*

## Le vieillard et les médecins

Au seuil de l'hiver, Staline, lentement rongé par une sclérose des artères, a une attaque. Les médecins du Kremlin sont appelés en consultation. Ce sont des sommités médicales conduites par le cardiologue Vinogradov, membre de l'Académie de médecine, décoré de l'Ordre de Lénine. Béria est là. Les médecins déclarent, répètent: « Il n'y a plus de remède que le repos, l'éloignement... » Obstiné, Staline interroge:

– La médecine russe est-elle à l'avant-garde ou en retard?

– A l'avant-garde.

– Alors guérissez-moi, la Russie, le peuple ont besoin de moi.

– Seul le repos...

– Tu vois, Béria, ils veulent m'écarter.

Les médecins sortent du Kremlin pour aller en prison. Il y en a quinze, dont six ou sept juifs. Et le 13 janvier, l'agence Tass annoncera : « Certains médecins, en prescrivant un traitement nocif, ont essayé d'attenter à la vie des dirigeants soviétiques. » Khrouchtchev, dans son rapport confidentiel, à l'issue du XXᵉ Congrès en 1958, donnera une version.

« *En fait, il n'y eut pas « d'affaire » en dehors de la déclaration de la doctoresse Timashuk qui, obéissant à des influences ou à des ordres extérieurs (elle était après tout collaboratrice officieuse des organismes de Sécurité de l'Etat), écrivait à Staline que certains docteurs appliquaient des traitements impropres à la guérison des malades.*

» *Ses lettres étaient suffisantes pour que Staline en déduisît immédiatement qu'il y avait en Union soviétique des médecins conspirateurs. Il donna l'ordre de procéder à l'arrestation d'un groupe d'éminents médecins spécialistes soviétiques. Il donna son avis personnel sur la façon de mener l'enquête et les méthodes à employer pour l'interrogatoire des gens qui avaient été arrêtés. Il indique que l'académicien Vinogradov devait être enchaîné, qu'un autre devait être battu. Le camarade Ignatiev, ancien ministre de la Sécurité de l'Etat, assistait à ce Conseil en qualité de délégué. Staline lui dit d'un ton péremptoire : « Si vous n'obtenez pas d'aveux des médecins, vous serez raccourci d'une tête. »*

» *Staline convoqua lui-même le juge d'instruction pour lui donner ses ordres sur les méthodes à employer pour les interrogatoires. Ces méthodes étaient simples : battre, battre et encore battre.*

» *Peu de temps après l'arrestation des médecins, nous autres membres du Bureau politique, nous reçûmes les procès-verbaux de leurs aveux. Après nous les avoir distribués, Staline nous dit : « Vous êtes aveugles comme des taupes. Qu'adviendra-t-il lorsque je ne serai plus là ? Ce sera la destruction du pays, car vous ne savez dépister l'ennemi... » Après la mort de Staline, lorsque nous avons examiné ces cas, nous nous aperçûmes qu'ils avaient été forgés de toutes pièces. »*

Ce sont en effet des taupes qui cherchent le couloir de sécurité et attendent le moment de venir à l'air libre, la mort. Chaque taupe se méfie de l'autre: elles vont le plus souvent par deux ou par trois pour avoir des alibis... Qui contrôle qui? Béria contrôle tout. Mais n'est-ce pas, avec son réseau autonome de spécialistes, le général Alexandre Poskrebychev, chef du secrétariat particulier de Staline, qui contrôle Béria? Staline n'a confiance en personne. Béria se sent menacé. Le 11 février, les *Izvestia* ont annoncé la mort subite du général Konsykine, chef de la Sûreté d'Etat et de l'administration du Kremlin. Molotov, Malenkov, dauphin, et Khrouchtchev, le concurrent imprévu, ne sont pas encore suspects: ils sont du lot des aveugles, des taupes.

## La mort

Le récit qu'on a fait des derniers jours est une histoire extraordinaire à la façon d'Edgar Poe. Que les détails en soient vrais ou non, ils sont la projection dans les esprits du caractère et du comportement de Staline... Quelques semaines après la mort, un spécialiste des

musées est amené dans l'une des demeures que Staline
avait aux abords de Moscou et que l'on songeait à trans-
former en musée. Il va de pièce en pièce. Il voit huit
chambres identiques, également nues, austères, avec la
même table, le même lit; puis une assez grande pièce
servant de garde-robe, avec des dizaines d'uniformes,
austères aussi et quasiment identiques. Il voit le système
de sonneries, de boutons d'appel. Tout est fait pour
dépister l'attentat, l'accident, tromper la mort. On
raconte: « Il y avait un horaire minutieusement établi
pour les sonneries de Staline; si trois minutes s'écou-
laient sans que retentisse la sonnerie prévue, on devait
enfoncer la porte. »

Un matin l'appel n'est pas venu. Et le poète que j'ai
déjà cité a mis cette fable en vers:

> *Le Tsar des canons ne gronda pas,*
> *La cloche géante ne gémit pas,*
> *La nuit, quand une certaine petite vieille*
> *Choisit, à l'heure voulue, ses clefs*
>
> *Touchant portes et serrures*
> *Sans frôler la sonnette d'alarme*
> *Elle ira chez lui sans sauf-conduit*
> *Par les couloirs du Kremlin*
>
> *Elle entre sans frapper dans sa chambre*
> *Fait un signe imperceptible*
> *Et la science se retire*
> *Passant la main à la petite vieille*

*La nuit finit bleuissant*
*Derrière les rideaux tirés*
*Et il reste*
*Seul*
*En tête à tête avec la mort.*
*Staline est mort.*

L'histoire officielle du parti consacre à cette mort une phrase: « *Peu après le Congrès mourut Joseph Staline. Les ennemis du socialisme espéraient la confusion... Leurs espoirs furent déçus.* » Aragon, dans son *Histoire parallèle de l'U.R.S.S.*, nous dit: « *On apprend au début de mars que Staline a été frappé d'une attaque atteignant le cerveau. La Maison-Blanche publie une note disant qu'à ce moment de l'Histoire, les Américains prient, sans tenir compte de l'identité des personnalités gouvernementales, pour que Dieu tout-puissant veille sur le peuple russe. Staline est mort le 5 mars...* »

Derniers jours. Laissons la grande Histoire. Laissons aussi les légendes, comme celle qui veut que Staline ait été empoisonné par hasard ou à dessein, au cours d'une scène florentine entre lui-même, Molotov, Kaganovitch et quelques associés. Staline mourut, dit-on, à dix heures dans la nuit du 5 au 6 mars. Ecoutons le récit des dernières heures, celui qu'en fit Khrouchtchev à Harriman, celui que m'en firent des familiers. Ils concordent:
« *Un samedi, dit Khrouchtchev, il nous invita tous à sa maison de campagne, pour dîner. Il était de bonne humeur. Ce fut une soirée gaie. Puis nous rentrâmes chez nous. Le dimanche Staline avait l'habitude de téléphoner à chacun d'entre nous pour discuter des affaires. Mais ce dimanche-là il n'appela pas,*

*ce qui nous parut étrange. Il ne vint pas en ville le lundi, et ce
lundi après-midi, le chef des gardes nous appela pour nous
dire que Staline était malade... Tous, Béria, Malenkov, Boulganine et moi-même nous précipitâmes à Kountsevo pour le voir.
Il était déjà inconscient. Une hémorragie cérébrale avait paralysé son bras, sa jambe et sa langue. Nous sommes restés trois
jours avec lui, mais il ne reprit pas conscience. Alors pour un
temps bref, il sembla sortir du coma et nous entrâmes dans sa
chambre. Une infirmière le nourrissait de thé avec une cuillère.
Il toucha notre main et tâcha de plaisanter, souriant faiblement
et cherchant à désigner avec son bras valide une image au-dessus
du lit où un agnelet était nourri à la cuillère par une petite fille.
Il voulait nous montrer par son geste qu'il était aussi impuis-
sant que l'agnelet. Quelque temps après il mourut... J'ai
pleuré. Après tout nous étions tous ses élèves et nous lui devions
tout. Comme Pierre le Grand, Staline a combattu la barbarie
par la barbarie, mais c'était un grand homme. »*

Les familiers disent: « Le dimanche 2 mars, Svetlana
voulut le joindre au téléphone. Elle n'y parvint pas. Il
y avait toujours la voix interposée d'un garde. Le sur-
lendemain matin, un secrétaire vint la chercher. On
avait trouvé son père étendu par terre, sans connaissance. Dans le jardin, Svetlana est accueillie par Boulganine, Malenkov et Khrouchtchev qui est en larmes. On
l'amena au chevet. Il a perdu la parole, mais le regard
est vivant. Il est sur le sofa de la grande pièce où il y a
au mur les images découpées dans les journaux. »

Svetlana n'est pas venue bien souvent. Il y a eu l'in-
terruption de 1944 à 1947, parce qu'elle avait épousé
un étudiant juif, la réconciliation après le divorce, la
dernière rencontre pour le dernier anniversaire. Elle ne

sera plus jamais seule avec lui: il y a trop de monde, les médecins, les serviteurs, les présidents qui font le va-et-vient de Kountsevo au Kremlin où se tiennent les palabres. Il n'y a plus d'hommes d'Etat, de médecins, de serviteurs, mais des hommes tourmentés qui attendent que les yeux se ferment, que le souffle cesse, et une fille qui ne sait ce qu'elle doit pleurer, ce qu'elle doit haïr. Après le dernier soupir, la chambre se vide. Svetlana reste là, tard dans la nuit, jusqu'à l'enlèvement du corps, tandis que serviteurs et gardes viennent jeter un coup d'œil.

A l'aube du 6 mars, la mort est rendue publique: « *Le cœur du compagnon de Lénine, du continuateur inspiré de sa cause, guide du parti et du peuple, a cessé de battre...* » Les appels à l'unité de fer du parti, à la vigilance à l'égard de l'ennemi de l'extérieur et de l'intérieur sont diffusés d'heure en heure. La ville est truffée de police secrète, investie par les troupes, les camions, les tanks, les avions de la M.V.D. Les généraux, l'armée, écartés de Moscou, attendent, gardant le pouvoir d'arbitrage.

Le 7 mars, le cercueil ouvert de Staline est porté dans la salle des colonnes. De nouveau des millions d'hommes vont aller au culte. Le vieux Zbarsky, l'embaumeur qui a déjà embaumé Lénine, est tiré d'un camp où l'a mis Staline, pour l'embaumer à son tour, et faire de son corps la nouvelle relique.

J'ai entendu des dizaines de témoins raconter ces jours et ces nuits. Personne ne semble se réjouir, même pas les offensés et les humiliés. Quand un dieu meurt, c'est une partie de vous-même qui s'en va, une habitude. Et devant vous, c'est un abîme nouveau: il faudra chercher d'autres dieux, d'autres habitudes.

A la consternation succède l'hystérie collective d'une religion. Dans un seul des boulevards en pente, sur le chemin de la salle des Colonnes, où le corps est exposé, cinquante ou cent mille personnes se pressent. C'est une eau qui cherche à s'écouler, sur le verglas, par un goulot fait de camions. Les gens s'affaissent étouffés. La milice est débordée. Une chenille vient tendre un câble pour fermer la voie: ses roues passent sur les corps. On en amène plus de huit cents à l'hôpital du quartier. Un de mes amis médecins, qui cherche son frère et craint le pire, est retenu ce soir-là pour décharger les corps, et trier les vivants et les morts.

Dans la salle des Colonnes et dans l'avenue, des femmes partent en sanglots, se lamentent à haute voix, tendent leurs enfants à bout de bras pour qu'ils voient la relique. Les symphonies et les marches funèbres prolongent l'accablement. Un des témoins, un des fidèles de Staline me dira: « Je ne voyais que le visage et les mains : un visage d'ours, vieilli et apaisé; des mains qui ne s'étaient pas relâchées, fortes et fines à la fois, cruelles. La paupière était mal fermée: on cherchait encore le regard. Un moment dans l'amas de fleurs rouges et de plantes, il y eut, réunis autour du cercueil, le successeur et les trois lieutenants, Malenkov, Béria, Molotov et Kaganovitch... Kaganovitch le regard mauvais, Molotov sincère et ravagé, Béria l'œil vide derrière des lunettes sans monture... Voilà cinq ans, et ils ont tous disparu de la scène. »

Le dernier jour, celui du grand rite, le général Staline le fils, Malenkov, Béria, Molotov sortent le cercueil qui sera porté sur la place Rouge. Molotov, qui sait que cette mort lui a sans doute gardé la vie, pleure.

J'ai recueilli les propos d'une victime de Staline qui, pendant ces journées, tournait dans sa prison :

— Je n'ai pas connu de vrais sévices, sauf de ne pouvoir dormir ou me coucher le jour, de ne pouvoir lire et écrire. Pendant des heures j'écrivais un roman dans ma tête et je m'en récitais les chapitres à voix haute. Je n'ai appris la mort de Staline que des semaines après. Je me disais, c'est un malade, peut-être un fou, mais c'était un grand homme si cultivé, si perspicace. Il avait, comme chacun, des diables avec lui. Il est mort. Les diables sont peut-être vivants... C'est la fin du monde.

C'était en effet la fin d'un monde. Un mois plus tard deux nouvelles, dans les journaux, en témoignaient. Tous les médecins du complot des blouses blanches étaient réhabilités.

Et un modeste décret sur « la normalisation du travail » invitait les gens à quitter les bureaux et les ateliers à six heures du soir, et à rentrer chez eux pour se reposer.

# PERSONNAGES

*Lénine en 1918.*

*Lénine et sa femme Kroupskaïa, en 1922.* – Lénine, humain, incorruptible, tourmenté et gai. Kroupskaïa n'a pas été séduisante. Sa beauté s'est traduite dans l'amour, un amour désintéressé, une loyauté.

En 1922, dans l'angoisse de la révolution, elle protège le corps malade et transmet l'esprit vivant de Lénine. Staline la redoute et la malmène. Les présomptions de Lénine à l'égard de Staline deviennent une certitude. En mai 1923, la mise en garde est publique. Lénine manifeste dans la *Pravda*; et avant la mort, c'est la rupture.

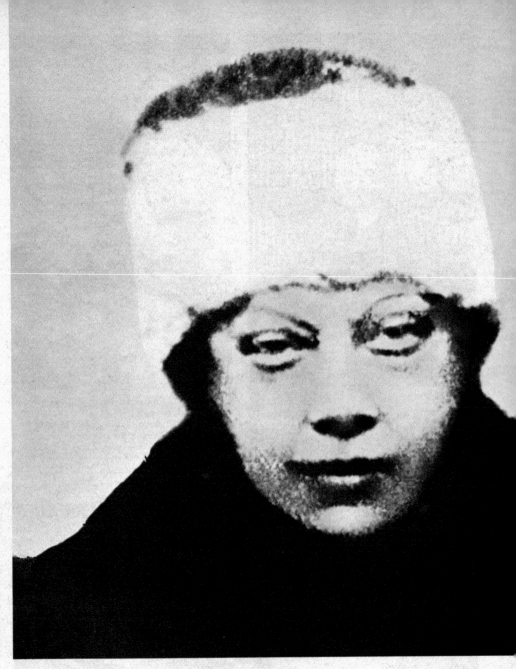

Lénine, qui s'approche de la mort, n'assiste pas au Xᵉ Congrès. C'est Kroupskaïa qui transmet à Mekhlis, le secrétaire de Staline, et à Staline, secrétaire général, les notes de Lénine que l'on dit testamentaires. Ces notes seront lues, après sa mort, par Kamenev au Comité central. Kroupskaïa est là, statue du Commandeur. Elle restera ainsi, jusqu'à sa mort en 1938, résignée et prudente pour que puisse se poursuivre l'œuvre révolutionnaire.
Elle publie des souvenirs qui seront expurgés par une commission stalinienne. Bien qu'ils aient été réédités à Moscou en 1958, on ne les trouve nulle part.

1.  1921. – Lénine dans son cabinet de travail au Kremlin.
2.  Lénine, malade, veillé par sa femme.
3.  A Gorki, Lénine avec sa sœur aînée, Anna Elizarov. Devant Lénine, son neveu Victor.
4.  La famille de Lénine en 1879. Lénine, lycéen est assis le dernier à droite.

*Grégoire Zinoviev*. – Il étudie la chimie et la loi, s'engage à dix-neuf ans dans le Mouvement ouvrier révolutionnaire, collabore intimement avec Lénine. Il s'oppose avec Kamenev à l'insurrection d'octobre 1917. Lénine dit: « Cet épisode n'a pas été occasionnel, mais il ne peut pas leur être reproché plus que le non-bolchevisme du camarade Trotski ne peut lui être reproché. »

De 1919 à 1926, il est président du Comité exécutif de l'Internationale communiste.

Victor Serge fait un récit vraisemblable de sa fin: « On le réveilla à une heure du matin. Il se dressa hébété, agité d'un tremblement... Au bout du corridor, il eut une véritable crise d'hystérie. Suspendu au bras des gardiens, il riait comme une femme. Le lieutenant le prit aux cheveux de la main gauche, lui fit baisser la tête et, de la main droite, lui tira une balle dans l'occiput. »

4

*Kamenev* (Lev Rosenfeld, dit). – Fils d'ingénieur, étudiant, entré au parti en 1901, membre du Comité bolchevik secret constitué en 1907, il est président du Soviet de Moscou pendant la guerre civile, vice-président du Conseil des commissaires du peuple.

« Kamenev fut fusillé le premier. Il ne résista pas, ne formula aucune plainte. Il sortit de sa cellule en silence et descendit comme en rêve, dans le local des exécutions. Après le premier coup de revolver, tiré sans doute par derrière, il fit un « Ah! » de stupéfaction et tomba encore vivant. Le lieutenant Vassioukov, qui assistait à l'exécution, s'écria d'une voix hystérique: « Achève-le » et donna un coup de botte au moribond. Une seconde balle dans la tête acheva Kamenev. »

*Nicolas Boukharine.* – Théoricien bolchevik, économiste, il dirige à New York, en 1916, le *Novy Mir* (*Le Nouveau Monde*). Il établit avec Staline, à Cracovie, la thèse sur le marxisme et la question nationale. Lénine dit: «Il n'est pas seulement le plus grand et le plus précieux théoricien du parti, il est aussi le camarade le plus aimé.»

En 1917, il est membre du Comité central bolchevik: adversaire de Trotski, chef de la droite communiste, utilisé par Staline pour évincer Trotski, il sera emporté par la deuxième vague de terreur, torturé et tué en 1938.

Au procès du «bloc des droitiers», il dira: «Quand on se demande: si tu meurs, au nom de quoi mourras-tu? c'est alors qu'apparaît soudain, avec une netteté saisissante, un gouffre absolument noir. Il n'est rien au nom de quoi il faille mourir, si je voulais mourir sans avouer mes torts. Et, au contraire, tous les faits positifs qui resplendissent dans l'Union soviétique prennent des proportions différentes dans la conscience de l'homme. C'est ce qui m'a forcé à fléchir le genou devant le parti et devant le peuple.»

*Toukhatchevski.* – Capitaine de l'Armée tsariste en 1917, général d'armée de l'Armée Rouge en 1918, il organise l'Armée Rouge et élabore la doctrine stratégique. Membre suppléant du Comité central en 1933, maréchal en 1935, à quarante-deux ans, commissaire adjoint de la Défense, il porte l'Armée Rouge à un million d'hommes.

Le 20 mai 1937, il part en disgrâce: il est arrêté dans le train. Le 11 juin, un tribunal spécial se réunit pour juger le maréchal Toukhatchevski, les généraux Yakir, Ouborevich, Kork, Eidemann, Feldmann, Primakov et Putna, accusés «de trahison envers la patrie, de trahison envers les peuples d'U.R.S.S., de trahison envers l'Armée Rouge». Dans la nuit du 11 au 12, ils sont abattus dans la prison. La plupart des maréchaux et généraux qui composent le tribunal seront liquidés à leur tour. Sur cinq maréchaux de l'époque, deux seulement survivront à la terreur, Vorochilov et Boudienny. Qui d'autre que Staline, Iéjov et Mekhlis a pu étudier le dossier? Au Bureau politique, personne n'a objecté, protesté. Au général Yakir qui demandait aide pour sa famille innocente, Vorochilov a répondu: «Je doute de l'honnêteté d'un malhonnête homme...» En 1958, accusés et juges – les accusés Toukhatchevski, Yakir, Ouborevich, les juges Blucher et Iégoroff – réapparaissent dans l'histoire et redeviennent glorieux. L'oraison funèbre est faite en 1961 par Khrouchtchev: «C'étaient des hommes de grand mérite, d'éminents capitaines.»

*Isaac Babel.* – Intelligentsia? Les intellectuels ont
payé une lourde contribution à l'époque, à l'accouchement d'une nouvelle société, à la terreur stalinienne et aux dogmes du pouvoir. Beaucoup,
comme le dit Aragon, confondent leur destin avec
la révolution. Pourtant ils ne parviennent pas, telle
qu'elle est, à s'y assimiler. Compagnons de route, les
uns s'enfoncent dans la nuit ou le silence, d'autres
se suicident, d'autres sont tués, d'autres s'inclinent.
Morts de mort violente : Essenine, Maïakovski,
Fadeev, suicidés ; Babel, Meyerhold, Pilniak,
Tcharentz, Mandelstan, le grand poète juif, liquidés
par l'appareil stalinien...
Babel, révolutionnaire et juif dont l'œuvre a
rayonné dans son pays et à l'étranger, est enlevé
un jour de 1937. Il est sans doute abattu par Iéjov
sans forme de procès. Il est l'un des meilleurs écrivains d'une époque révolutionnaire qui en a donné
plus qu'on ne le pense, et dont les œuvres n'ont pu
être étouffées par la vague des scribes officiels.

*Meyerhold (debout à gauche), Maïakovsky (assis).* –
Vsevolod Meyerhold ou Meyergold, né en 1874,
entre au parti en 1921, se saisissant avec autant de
passion du mouvement révolutionnaire que de l'art
dramatique. Il est l'une des personnalités les plus
puissantes du théâtre du XXe siècle, acteur, metteur
en scène, maître du théâtre russe et européen. En
1936, il est accusé de formalisme. Le formalisme, dit
Larousse, est un attachement excessif aux formes.
Dans le jargon politique, le terme est extensif : il peut
s'appliquer à toutes les formes de l'art, le réalisme
socialiste excepté.
On invite Meyerhold à se rallier au culte du réalisme
socialiste. Il refuse de s'incliner. Il est arrêté dans
l'été 1940, accusé d'être un espion britannique.
L'Etat soviétique de 1958, qui le réhabilite, indique
qu'il est mort en déportation. Torturé et tué, il
aurait, avant de mourir, envoyé un message disant
que ses aveux avaient été extorqués et qu'il mourait
communiste à soixante-six ans.
Maïakovsky, assis à côté de Meyerhold, s'est suicidé
en 1930. Il est avec Alexandre Blok le plus puissant
poète russe de l'époque révolutionnaire.

*Laurent Béria.* – Il a derrière ses lunettes sans monture, le regard vitreux d'Himmler, mais il n'est pas empêtré dans un culte ou une idéologie.

Il s'est bâti un empire dans l'Empire, police, troupes, aviation, camps de travail, fermes et usines. C'est le maître du travail forcé et de la concentration. On dit que son Centre des recherches atomiques est un modèle. Il aura, à son tour, le coup de revolver dans la nuque, sans doute six mois avant d'être jugé et condamné.

Dans son uniforme de maréchal des Forces Armées soviétiques, il a une corpulence et des appétits personnels que n'avait pas Himmler.

*Georges Malenkov.* – Jdanov disparu, Georges Malenkov, le plus jeune des séides, apparait comme un dauphin. Il se préoccupe peu d'idéologie. C'est un empirique, un bon ingénieur en chef de l'appareil. Pendant vingt ans, il est – sans longues absences – au côté de Staline, secrétaire particulier, secrétaire d'organisation, membre du Comité de défense pendant la guerre. Il est gras, il sait être à la fois jovial et cruel. Après la mort de Jdanov, il lui faut se frayer le chemin parmi les postulants et les possibles, un Molotov, un Béria, un Khrouchtchev. Malenkov sous-estime Khrouchtchev. Ils ne s'aiment pas: le triumvirat de fait ne durera pas longtemps.

Quinze jours après la mort de Staline, Malenkov perd officiellement son titre de premier secrétaire du Comité central. La présidence du gouvernement est moins importante que ce poste. C'est le commencement de la fin, et en 1957 – quand les coalisés de juin ratent l'opération qui doit jeter bas Khrouchtchev – la chute.

*Jdanov*. – Jdanov est l'ingénieur des âmes qui règle les sentiments et les goûts des hommes pour qu'ils soient utiles à la société et conformes aux besoins de l'Etat. Il fait le catéchisme : il y a le jdanovisme, les formules stéréotypées à la Joseph Prudhomme que l'on entend chez les apôtres dans tous les pays du monde. En 1934, il met sur pied l'Union des écrivains. Il régentera pendant quinze ans les lettres et les arts. Les meilleurs disparaissent de mort violente, les autres se taisent ou acceptent l'uniforme. Un réalisme socialiste, qui nourrit les livres et les tableaux des plus médiocres, est proclamé religion. Les plus belles œuvres du début du siècle sont mises en resserre ou dans les caves.

Théoricien du stalinisme, colonel général à ses heures pour une belle défense de Leningrad, il est après guerre le plus influent au secrétariat de Staline. C'est un dauphin qui met en forme dogmatique l'empirisme stalinien.

*Kaganovitch.* – C'est un second rôle. Né d'une famille juive pauvre, ouvrier dans la chaussure à l'âge de quatorze ans. Il devient l'un des organisateurs les plus efficaces de l'appareil stalinien. Il sait qu'il ne gouvernera jamais la Russie. En 1925, à trente-deux ans, il est le chef du service central des affectations du personnel. Il rétablit la situation en Ukraine à coups de dures épurations, puis détient le secrétariat de Moscou, citadelle. Il est l'homme de l'industrie lourde.

Après la guerre, il est le truchement de Staline pour les confessions, les autocritiques du judaïsme. Après la mort de Staline, il joue Malenkov et perd.

On le voit en 1959, vieilli et voûté, dans les couloirs de la salle des congrès. Il vient applaudir le discours de Khrouchtchev qui dénonce le complot où Kaganovitch est impliqué.

*Vychinski.* – 1937, 1940, Staline a ses tueurs partout dans le monde : un à un les révolutionnaires qui s'opposent, ceux qui s'élèvent contre les crimes disparaissent, sont exécutés (André Nin, le chef révolutionnaire espagnol, le fils aîné de Trotski, Marckhein et Ignace Reiss, Trotski lui-même, et tant d'autres)... et quand on s'inquiète, vient la réponse que l'on entendra pendant des années : ce n'était que des policiers. Dans l'appareil des partis occidentaux, pas une voix ne s'élève.

Staline a aussi son procureur de morts, de tortures, de faux aveux : Vychinski. C'est un diplomate aussi qui sera pendant treize ans vice-ministre ou ministre des Affaires étrangères. On le voit dans les ambassades, avec le rictus et la denture d'une tête de mort...

Le voilà en 1937, interrogeant Krestinski qui répond : « Je ne me reconnais pas coupable... je n'ai pas commis un seul des crimes qui me sont imputés. » L'audience est suspendue pour vingt minutes, puis pour deux heures. Krestinski maintient. On remet au lendemain et Krestinski déclare : « Hier, sous l'empire d'un sentiment fugitif et aigu de fausse honte... je n'ai pu dire la vérité, dire que j'étais coupable. »

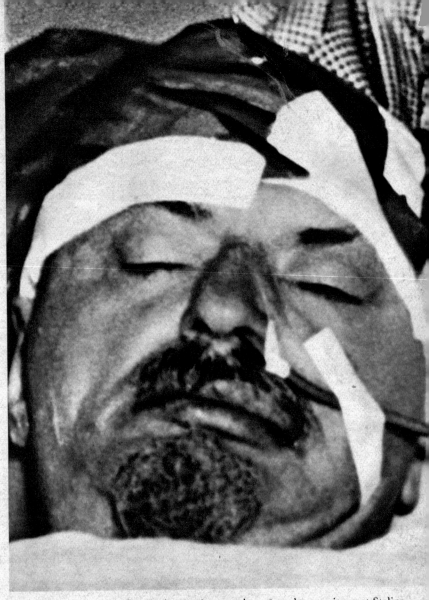

*Trotski mourant.* – Léon Bronstein est né en octobre 1879, deux mois avant Staline. Les juifs vivaient alors dans des ghettos surpeuplés et dans des zones réservées. Le père était fermier. Misères de l'adolescence: comme Lénine avait gardé le souvenir des jours de l'exécution de son frère pendu pour avoir comploté contre le Tsar, comme Staline avait le souvenir de l'oppression russe et du séminaire, Trotski avait gardé la vision de ce groupe d'ouvriers agricoles qui marchaient devant lui, les mains en avant, parce que la faim les avait rendus aveugles. Dans la léthargie du peuple russe, résigné à l'environnement hostile, à l'oppression d'un pouvoir surnaturel, les révolutionnaires et Trotski devaient constater que pour sortir de cette léthargie il faudra plus de violence et de cruauté que pour la maintenir. Aucun d'eux n'était inculte, aucun paresseux. Ils avaient étudié avec passion, travaillé de toutes leurs forces. Lénine et Trotski avaient une vie humaine, Staline non. Pressé dans le carcan des races et des classes, Trotski sera le plus seul.

*Les trois conférences.* – Trois Grands se sont réunis trois fois, pour régler le sort du monde. Ils esquissent un partage, parfois avec de bonnes intentions. Churchill et Staline discutent en termes d'Empires et de rapport des forces. Roosevelt, aristocrate humanitaire, imagine un théâtre harmonieux des nations dont les trois Grands seraient les régisseurs. *Téhéran* (novembre-décembre 1943): Roosevelt et Churchill apportent à Staline la promesse et la date de l'opération Overlord, le second front. Les grands revers allemands en Russie, les premiers revers japonais, la victoire en vue prédisposent à la confiance et à l'amitié.

*Yalta* (février 1945): il est plus difficile de faire la paix que de faire la guerre. Les difficultés surgissent devant les problèmes concrets, le sort de l'Allemagne, la Pologne, les zones d'influence et les partages. Plus de mille experts se saisissent des litiges que ne peut résoudre la familiarité des trois Grands. Roosevelt, au-delà des querelles et des appétits des deux autres, formule les Nations Unies et leur charte.

*Postdam* (juillet 1945): la première victoire est venue. La guerre idéologique et la bombe atomique se profilent. On fait ou défait des gouvernements, on transfère des populations, on déplace des frontières. Deux des trois Grands ne seront bientôt plus que des doublures: Roosevelt remplacé par Truman (avril 1945) et Churchill évincé en pleine conférence (28 juillet) par Clément Attlee, son vainqueur aux premières élections britanniques d'après guerre.

*Staline dans son cercueil, salle des colonnes.* – Il reste un visage de vieillard paisible, des belles mains, des fleurs. L'enterrement est à l'image des temps apocalyptiques et de la démesure du peuple russe. Parmi les centaines de milliers qui défilent, des centaines meurent en holocauste, corps étouffés ou désarticulés par une multitude aveugle.

Comme dans les aberrations de toutes les guerres, de toutes les religions, terrestres ou surnaturelles, le clergé, les desservants diront qu'ils ne savaient pas. Puis on réhabilite les victimes sans déshabiliter la religion.

*Obsèques de Staline.* – Autour du catafalque: de gauche à droite: Khrouchtchev, Béria, Malenkov, Boulganine, Vorochilov et Kaganovitch.

# APRÈS STALINE

Il est difficile de comprendre la Révolution de 1917, Lénine, Staline, Khrouchtchev, si l'on n'apprécie pas le peuple russe et son histoire. Depuis la Moscovie, Ivan le Terrible, le XVIᵉ siècle en passant par Pierre le Grand, les Alexandre et les Nicolas, la sainte Russie a été un Etat totalitaire. Encore faut-il s'entendre sur ce mot, qui est devenu une étiquette ou une injure.

Le peuple russe, qui formait une nation avant d'être un Etat, vivait sur des terres ouvertes, des lieux de passage, où s'affrontaient l'Europe et l'Asie, la civilisation de l'âme individuelle et la civilisation de l'âme collective. L'ignorance, l'indolence et l'orgueil de ses chefs étaient entretenus par l'espace et le temps, le paysage et le climat. Le peuple, dans la contrainte historique et géographique, s'abandonnait totalement à sa foi et à sa terre. Mais, dans sa grande marmite, bouclé par le rituel de la religion et de l'Histoire, conduit à résister plutôt qu'à mener une entreprise, ce peuple, à défaut de s'exprimer, sentait et pensait plus fortement qu'un autre dans les sombres loisirs de ses hivers et de sa peine.

Au XVIIIᵉ siècle, il vivait comme au Moyen Age. Il n'a connu - ou de façon si rudimentaire - ni l'évolution économique et sociale, ni la société bourgeoise, ni la société capitaliste. Il n'a pas été marqué par l'ambition de la fortune privée et par la gestion des affaires publiques qui font le citoyen dans notre civilisation occidentale et le séparent de l'homme. Il en gardait les vertus primitives, l'amour du prochain et l'indifférence aux biens.

Avec sa puissance de sentiments et de rêve, le peuple russe est entré en quelques semaines, aux jours d'octobre 1917, dans le monde moderne. D'un coup, il a été jeté d'un christianisme à un communisme, dont les fondements communs – le problème métaphysique mis à part – sont profonds.

Lénine a conçu une société et un régime. Il est mort trop tôt pour l'établir. L'expérience a été totale, et le peuple dans son ensemble, avec une foi confuse, et dans la convulsion, s'y est soumis totalement. Staline a exprimé dans sa force, puis dans sa cruauté et dans son délire, ce totalitarisme. Il a posé le problème du citoyen nouveau, refusant celui de l'homme et des contradictions naturelles de l'un et de l'autre. Devenu un pape, et apportant une bible, il installait une religion temporelle, et substituait à l'idolâtrie de l'individu et d'un dieu qui était la projection extérieure de l'individu l'idolâtrie de l'espèce.

C'est alors qu'un petit homme est venu, qui croit sans doute que l'on peut résoudre ces contradictions sans briser l'homme. Il avait à la fois l'esprit réaliste d'un paysan et l'esprit religieux d'un Russe. Il a soulevé le couvercle de la marmite. Les choses n'étaient pas simples. Ce n'étaient pas trente ans d'histoire stalinienne qui étaient en cause, mais cinq cents années.

Et puis le monde alors était divisé en deux camps, ou en deux forteresses, avec les armées, les généraux, les bombes atomiques, avec des gens qui pensaient qu'ils étaient le bien et leurs adversaires le mal, et qui pouvaient croire que pour ne pas périr il fallait dominer.

Le petit homme, Nikita Khrouchtchev, est devenu fameux en 1956. Il n'avait jusqu'alors que la renommée d'un chef d'Etat, d'un des Etats les plus puissants et les plus mystérieux du monde, qui groupait deux cents millions d'hommes. On se demandait s'il allait durer, s'il fallait le prendre au sérieux. Et soudain, pour un congrès, le vingtième du Parti communiste soviétique, pour un rapport secret qui portait son nom, et qui devait vite devenir le secret de Polichinelle, il entrait dans l'Histoire bien au-delà de ses fonctions et de ses frontières.

### Khrouchtchev, la seconde mort de Staline

Staline est mort. Personne n'a le prestige et la puissance pour prendre le pouvoir seul. Dans ce régime secret, on est réduit à interpréter les rites. Malenkov est sorti du rang en 1951. Le Comité central, à l'occasion de son cinquantième anniversaire, l'a désigné comme « le plus fidèle élève de Lénine, le compagnon de Staline ». Puis en 1952, il a dominé le XIX$^e$ Congrès et il est entré dans l'imagerie. Travailleur infatigable, cerveau électronique, il ne cherche pas à paraître. Il est énigmatique et gras, comme une figure du Musée

Grévin. Il passe pour l'homme qui arrêtera les sacrifices et donnera les biens de consommation. C'est le dauphin. Il est entouré de quatre hommes, les placés, qui peuvent être des candidats ou des meneurs de jeu: Molotov, que l'on appelle Cul de pierre, vétéran communiste, bureaucrate respectable et sans popularité; Béria, le policier pervers qui a été l'outil de la terreur, Boulganine et Kaganovitch. Dans l'imagerie, Khrouchtchev n'apparaît pas. A Moscou, quelques jours après la mort, il y a surtout Béria avec sa police, ses troupes, ses tanks dans la ville investie, avec les vingt-trois autres membres du praesidium, et l'étranger qui guette une proie. Toute vie est suspendue pendant des semaines. Il faut faire disparaître un homme, dont les coffres sont pleins d'objets volés, les dossiers pleins de chantages, et les prisons pleines d'otages. Qui pourrait trahir jusqu'à cette séance florentine du praesidium où seront convoqués deux maréchaux garants de l'armée, où tout le monde, dira-t-on, est armé, et où l'on arrêtera Béria?

Après, la période d'incertitude se prolonge. Chacun se demande où va la révolution. Beaucoup pensent aux pouvoirs et aux clans. Un homme que l'on ne redoute pas, qui n'est pas mystérieux, qui est véhément mais de bonne humeur, devient, en août 1953, premier secrétaire du parti. Il n'accompagne pas chaque décision d'une référence aux dogmes. Il s'attaque aux problèmes réels: l'accès d'un peuple au bien-être matériel, l'accès à une démocratie, le drame de l'économie agricole, de la résistance paysanne, le retour à une légalité.

Il lui faut trois années pour parvenir sans secousses et sans violence au XX<sup>e</sup> Congrès. La disparition et la mort de Béria semblent avoir enterré la mort. Les camps se vident. On réhabilite en masse. Mais pour que l'on ne puisse pas revenir en arrière, il faut aller remuer les six millions d'hommes du parti, puis l'opinion publique: il faut le choc de la vérité. Et c'est le rapport secret, le secret de Polichinelle.

Khrouchtchev est un homme qui a pris beaucoup de risques calculés: mais il a su aussi, quand il le fallait, prendre des risques qu'il ne pouvait pas calculer. Un de ses familiers disait:

« On parle sans cesse du XXe Congrès; mais la grande affaire c'est le Comité central de septembre 1953. Je vois Khrouchtchev dévoilant avec force les faits devant les dirigeants stupéfaits, devant un Malenkov qui avait déclaré en 1952 que le problème des céréales était résolu, devant un Molotov hostile... Risque difficile à calculer, le rapport secret qui a appris à quinze cents hommes ce qu'ils pressentaient sans l'admettre, qui a mis fin à une idolâtrie et bouleversé trente gouvernements et cinquante Partis communistes... Et puis l'opération de juin 1957, la contre-offensive au Comité central devant la révolte du praesidium entraîné par Malenkov. »

Le XXe Congrès avait été bien préparé. Après avoir vu apparaître par la petite porte de gauche, sous le médiocre Lénine en mouvement, le nouveau secrétaire général, et avoir entendu ses premières phrases, ambassadeurs, journalistes, dirigeants communistes, personne ne pouvait plus avoir de doutes: « Le parti a brisé les notions périmées en jetant tout ce qui a fait son temps et qui entrave la marche en avant... » Ils avaient pu apprécier que le nom de Staline n'avait été prononcé que pour annoncer sa mort. Ils avaient entendu Khrouchtchev s'élever contre l'hommage d'un congrès qui se dressait d'une pièce (Pourquoi? Vous êtes souverains. Vous êtes chez vous...), et citer le couplet de l'*Internationale*: « Il n'est plus de sauveur suprême, ni dieu, ni César, ni tribun... » ... Ils l'avaient entendu enfin dénoncer avec le poète Maïakovski les dirigeants bureaucrates:

> *Il ne voit pas plus loin*
> *Que le bout de son nez.*
> *Ayant appris le communisme dans les livres*
> *et potassé à fond tous les « ismes »,*
> *il a cessé pour toujours*
> *de penser.*
>
> *Pourquoi scruter l'avenir?*
> *Reste assis et attends la circulaire.*
> *— Vous et nous, pourquoi penser,*
> *puisque les chefs pensent pour nous?*

Enfin le dixième jour, dans une séance fermée, parce que le linge sale se lave en famille, mille cinq cents hommes du parti entendaient le reste. Quand Khrouchtchev avait annoncé son intention au praesidium, les durs, Molotov et Kaganovitch, avaient objecté. Il l'avait emporté en disant: « Eh bien! on fera voter en séance pour savoir s'ils veulent la vérité. »

Il y avait heureusement beaucoup de jeunes, de nouveaux avides de connaître. Peut-être quelques-uns parmi les anciens, entendant ou lisant les notes testamentaires de Lénine, revirent-ils les grandes ombres, inutilement sacrifiées à la folie despotique, depuis celle d'un Boukharine, «le plus fort et le plus précieux des théoriciens», légitimement considéré comme le préféré, jusqu'à celle d'un Tomski.

On dit – et il y a tout lieu de le croire – qu'au cours de la séance, tandis que Khrouchtchev lisait le rapport secret, un petit papier circula dans les rangs et lui fut porté. Il n'était pas signé et disait: « Et vous que faisiez-vous alors?... » Khrouchtchev, tourné vers la salle, lut le papier et répondit: « Ce n'est pas signé, je faisais alors ce que vous faites aujourd'hui. »

## *Les remous*

Les remous du XXe Congrès et du rapport secret ne devaient s'éteindre qu'à la fin de 1957, après que le message eut atteint et secoué, jusque dans leurs confins, les territoires communistes et les Partis communistes nationaux. La condamnation des excès staliniens, la libéralisation agitaient les démocraties populaires. Des milliers de Khrouchtchev commençaient à s'exprimer. Les augures, avec vingt ans de règne, les bureaucrates, les fanatiques qui voyaient leur sinistre confort menacé résistaient et leur résistance se conjuguait avec l'assaut, à l'extérieur, des forces contre-révolutionnaires.

En l'espace de quelques semaines, le voyage à Belgrade chez Tito, le drame polonais, le drame hongrois posaient tous les problèmes... « Si Staline avait vécu, tout cela ne se serait pas passé », disaient certains dirigeants à l'Ouest comme à Moscou. Ils n'avaient accepté le XXe Congrès que du bout des lèvres. Ils ne savaient imaginer ce qu'eussent coûté, à plus long terme, les crimes contre les mœurs et contre les sentiments légitimes.

Dans l'automne 1956, en Pologne comme en Hongrie, des ouvriers, des intellectuels, des communistes se révoltent contre des directions qui veulent bien reconnaître leurs torts à condition de rester au pouvoir. Le peuple comprend mal que ce soit aux naufrageurs que l'on confie la tâche d'éviter le naufrage. Et ceci se passe tandis que des généraux, des évêques, des diplomates et des services secrets s'efforcent de susciter, comme en 1919, la grande croisade pour détruire le monde du socialisme.

Un homme doit faire face. Il n'est assuré de rien; les risques sont incalculables. Quelques semaines après les émeutes de Poznan, Khrouchtchev débarque à Varsovie. Au praesidium soviétique, qui s'était réuni en hâte, la détermination polonaise, l'accession de Gomulka au secrétariat, l'exclusion des staliniens avaient été présentées comme les éléments d'un complot contre l'unité du monde socialiste. Molotov et Kaganovitch sont là, et Koniev qui veut mettre les troupes en mouvement. La scène s'ouvre dans la passion et la colère, Khrouchtchev s'emporte contre ce Gomulka qu'on lui a présenté comme un traître. Vingt-quatre heures: la légende s'est emparée de cette journée, mais il en reste la conclusion. Le berger, l'ajusteur communiste Khrouchtchev a rencontré l'ouvrier communiste Gomulka, qui tient tête. Malgré l'entourage et les passions, Khrouchtchev est entraîné par son intuition et son mouvement: la Pologne se déterminera librement. Le 25 octobre, disent les historiographes de l'Ouest, Khrouchtchev téléphone du Kremlin à Gomulka pour lui dire son estime et sa confiance. Trois ans plus tard, les deux hommes sont des associés et des amis, tandis que les fanatiques ont disparu de la scène.

Dans la même semaine éclate l'affaire hongroise. Cette fois, le drame ne sera pas évité. Le pays est plongé dans l'anarchie. Le sang coule: c'est une guerre de tous contre tous. Le désarroi des esprits est alimenté par la perversion de Rakosi et du régime. Il est exploité par les forces contre-révolutionnaires dont les mots d'ordre s'expriment à la station américaine de Radio-Munich, et par la voie du Vatican et d'un cardinal moyenâgeux. Dans cette conjonction entre les forfaits staliniens et l'assaut anticommuniste, le péril couru par le camp socialiste entraîne aux solutions de force. Les généraux l'emportent. Khrouchtchev et le gouvernement remettent entre leurs mains la solution.

Ce n'est que trois ans plus tard, devant le Comité central hongrois, à Budapest, que Nikita Khrouchtchev, qui a la double tâche de préserver et de corriger, peut apprécier les événements: « Ce ne sont pas, dit-il, les idées du communisme qui ont fait faillite, mais seulement des dirigeants. Ils utilisaient la dictature de la classe ouvrière, non pas contre les ennemis du peuple, mais pour frapper les leurs... Ils se sont mis à tirer contre les leurs et à porter des coups aux forces révolutionnaires.»

# SUR STALINE

## Regards sur Moscou

A Moscou, en novembre 1957, je retrouve les éton-
nantes contradictions aussi bien que l'unité de l'âme
russe, depuis l'ouvrier jusqu'à mon agronome qui se
réfugie dans les choux, ou mon pope blasé, gras et
comédien. Je retrouve la rue, qui n'est ni agitée ni
mauvaise, et me surprend toujours par une force et une
endurance qu'elle ne mesure pas.

L'eau a coulé sous les ponts. C'est le quarantième
anniversaire de la révolution. Ce que l'on a appelé le
complot antiparti n'a pas laissé beaucoup de traces dans
les esprits. Seuls les spécialistes ont apprécié la rapidité
et l'adresse de la riposte de Khrouchtchev. Les vaincus
sont là, dont on parle peu. On constate qu'il n'y a ni
procès, ni morts, ni prisons. Dans la salle des fêtes,
je rencontrerai un Kaganovitch bougon qui a le sort
qu'il mérite, un Chepilov, joueur malheureux, qui se
signalera (en vertu de la vieille tradition russe de la
confession publique) en applaudissant sa condamnation
par Khrouchtchev. On parle peu de l'affaire Joukov, le
maréchal le plus populaire aux cent décorations, qui
vient d'être renvoyé à ses souvenirs et à ses études. On
apprécie que l'armée n'ait pas pris le pas sur le parti.

En 1958, Khrouchtchev est à la fois président du Conseil des commissaires du peuple et secrétaire général du
parti. Il est le deuxième homme, après Staline, qui
cumule tous les pouvoirs. Six ans après il est chassé. Il
restera dans l'Histoire un phénomène insolite qui a mené
son pays dans un chemin nouveau. Il a fait le procès de

Staline, humanisé le communisme, écrasant la mort et vidant les camps. Il s'est adressé à son peuple au-delà de son parti et conçu une coexistence pacifique. Il a dégagé les démocraties populaires de la contrainte stalinienne en même temps qu'il prenait la responsabilité de la tragique opération de Budapest. Il a consommé, sans le vouloir peut-être, la rupture avec la Chine. Sa chute a bouleversé l'étranger et laissé son pays indifférent. Sinon les Etats qui voyaient en lui le symbole de la libéralisation, personne ne l'a pleuré. Dans la rue, à Moscou, à Léningrad peu de gens se sont inquiétés: on ne s'abîmait plus dans un culte, on ne craignait plus, les temps d'Apocalypse étaient révolus. La nature personnelle et méridionale de Khrouchtchev, son isolement dans les instances du parti avaient amusé puis lassé. On allait l'oublier vite.

Depuis 1949, j'allais assez souvent à Moscou: je faisais partie de la présidence du Mouvement de la Paix. J'avais connu la Russie de Staline: le silence, le secret, une grandeur, une cruauté dont on ne savait pas les dimensions. J'admirais le peuple, le pays, l'œuvre étonnante entreprise en 1917, qui avait ébranlé le monde et avait opposé un socialisme, une dictature, à la domination capitaliste. Je connaissais quelques sources: ma femme Louba Krassine était la fille de Leonid Krassine, l'un des compagnons les plus fidèles de Lénine, commissaire aux Transports et au Commerce. Il était celui qui avait ouvert la première fenêtre sur l'Occident, ambassadeur en France puis en Grande-Bretagne. Il n'aimait pas Staline. Louba Krassine n'avait pu rentrer en Russie du temps de Staline. Krassine était mort à temps en 1926.

De 1949 à 1953, j'avais aperçu deux fois Staline, le tsar issu du peuple, obsédé de puissance et de peur. Les hommes qui comme moi-même voulaient ouvrir une porte dans le rideau de fer et trouver les voies d'une coexistence, partagés d'anxiété et d'espoir, regardaient celui qui avait dit en 1929: « Ralentir le pas, c'est rester en arrière. Ceux qui restent en arrière sont battus. Nous ne voulons pas être battus. Nous ne voulons pas... Dans le passé nous n'avions pas, nous ne pouvions pas avoir de patrie. Nous avons cinquante ou cent ans de retard sur les pays... Nous devons parcourir cette distance en dix ans. Si nous ne le faisons pas, nous serons écrasés. »

J'avais vu tous mes amis russes qui croyaient au socialisme, dans les appartements serrés, dans les chambres d'hôtel, les ascenseurs, quand nous les questionnions, baisser la tête, regarder ailleurs et se taire.

Puis j'ai connu Khrouchtchev, j'ai vu de 1958 à 1964 pousser les nouveaux dimanches, le décor changer et bouger les choses. Ce n'était pas seulement les rues entières, les ensembles, les stades ou les stations qui surgissaient de six mois en six mois, c'était le factice chassé par le réel, la couleur, la gourmandise, la frivolité qui éclataient aux vitrines et aux devantures... C'était aussi des gens qui bougeaient, une jeunesse, les filles et les garçons qui dansaient, s'embrassaient, maraudaient, le retour de la parole et du sentiment. Il y avait dans la rue des milliers de Khrouchtchev, soumis par nécessité, qui attendaient cela depuis trente années.

# SUR STALINE

## Recherche de Svetlana

En 1960 j'avais fait dans mon livre *Les Grands* –
Khrouchtchev, Eisenhower, de Gaulle, Churchill – un
portrait de Staline. J'avais dit dans ma préface: « *Ce ne
sont pas ici des histoires, ni même des vies, mais des portraits.
Selon Plutarque, un petit fait, un mot, une plaisanterie
montrent mieux un caractère que des batailles qui font tomber
des milliers de morts ou que les plus grandes manœuvres stratégiques. L'étude des caractères ramène les héros au rang de
l'homme. Sans doute est-ce nécessaire à notre époque, où la
légende, le culte de la personnalité, la propagande, la publicité
– toutes formes de l'esprit de religion – font encore la pluie et
le beau temps. Dans ces portraits, une part de légende se
mêlera à la réalité, aux traits les plus ingénus. Je n'ai pas
cherché à l'écarter, mais à la démêler seulement. La part
légendaire est nécessaire à la recherche du savoir. Il faut savoir
comment naît notre mythologie moderne. Qu'elle soit façonnée
par les personnages eux-mêmes, ou par le concours d'un grand
nombre d'hommes, elle est la protection fantastique des espoirs
et des impuissances de l'homme.* »

Je m'étais situé entre la haine et le délire. Je n'étais
pas satisfait du portrait. Je voulais recommencer, trouver l'homme derrière l'idole, rencontrer ses proches.
Qui mieux que Svetlana, sa fille bien-aimée, pouvait me
guider? Elle était aussi à Moscou, derrière un rideau
de silence. Personne – même mes meilleurs amis – ne
voulait m'indiquer sa résidence. Je finis par la trouver
en 1962, à l'occasion d'un Congrès du Mouvement de la
Paix. Un matin de printemps, j'étais assis, en dépit de
tous, dans le jardin d'un grand immeuble au long de la

Moskova, attendant que la gardienne ait le regard détourné. Je montai quatre étages pour sonner à la porte. Une femme rousse en peignoir vient m'ouvrir. Est-ce elle?... « Svetlana Alliloueva? » – « Oui. » Je parle français : elle ne m'entend pas. Je lui montre mon livre et lui explique mon propos en anglais. Elle dit : « Je ne peux pas vous recevoir comme je suis », me fait asseoir dans la plus grande des trois pièces de son appartement et va dans la salle de bains.

Quand Svetlana revient s'asseoir en face de moi, j'ai là une daine rousse aux yeux pervenche. Elle n'est pas belle, elle a un charme étrange, un regard droit : la biche qui interroge la nature, au-delà du chasseur, du piège et du fusil qu'elle ignore. Sa vie, sa solitude lui ont appris à peser : ses propos sont rares, retenus et assurés. Je lui demande de m'aider. Elle m'écoute immobile, me dit de revenir le lendemain. Elle lira mon livre. Si elle ne comprend pas le français, elle sait le lire. Je tourne dans l'appartement. Il est sobre : peu d'objets, presque rien aux murs. Staline son père, Nadia sa mère ne sont pas là. Il n'y a pas cette marée d'images et d'objets qui traduisent la Sainte Russie au-delà des régimes. Je pense à la chambre de Lénine au Kremlin. Chez Svetlana, c'est un appartement bolchevik, embelli d'une douceur et d'une façon féminines.

Le lendemain Svetlana a déjà sauté à pieds joints. Nous sommes familiers. Elle disait : « Votre livre est cruel, il est plein d'erreurs, il est juste : je vous aiderai. » Dans les jours qui suivent, je rencontre ses enfants, Joseph, 18 ans, qui étudie aujourd'hui la médecine, Katia, 16 ans, sa fille la plus chérie, brune et forte, aux

grands yeux noirs, un cousin, Ivan Alexandrovitch Svanidzé. C'est un neveu de la première femme de Staline,
la très belle Catherine Svanidzé, qui meurt à vingt-trois
ans après avoir mis au monde le premier fils du dictateur, Jacob. Ivan, modèle du Géorgien, claque les
talons, incline la tête en me saluant. Il travaille au Mouvement de la Paix, il entrera dans la vie de Svetlana,
et en sortira. J'espérais qu'il m'aiderait à me retrouver
entre la mystification occidentale et le secret soviétique.
Je lui demandai qui était ce Budu Svanidzé, apparu
en 1951 avec un ouvrage à sensation, *Mon Oncle Joseph,*
et sur lequel personne ne pouvait mettre la main – sauf
le diplomate russe Bessedowsky devenu agent américain. Ivan m'assura que Budu n'existait pas: « Un
Svanidzé peut détester Staline, il n'émigrera jamais. »

Dans les dialogues se levaient pour moi le visage de
Nadiejda Alliloueva, la mère suicidée, le visage d'Abel
Iénoukidzé, le parrain, secrétaire du Comité central,
abattu par Iegov sur l'ordre de Staline en compagnie de
Mariko Svanidzé, la belle-sœur de Staline, le visage d'Anna
Alliloueva, la sœur de Nadia, femme de Redenss, notable
bolchevik arrêté en 1938 et tué dans sa prison. Anna
Alliloueva avait écrit d'étranges mémoires, introuvables
aujourd'hui, publiés à Moscou en 1946, qui avaient mis
Staline en rage. Elle avait été envoyée en prison en 1948,
et n'avait été libérée qu'en 1954 après la mort de Staline.

Je quittai Svetlana. Nous correspondons: mes lettres
lui arrivent rarement. Tout de même, entre Paris et
Moscou, le téléphone fonctionne. Sa voix amplifiée
paraît si étrange. L'année suivante, je la revois: elle me
communique l'album de famille et quelques lettres de

Staline. On y lit à la fois la vie privée, les visages des proches disparus dans la terreur et l'amour du père. A mon dernier voyage, en 1964, la surveillance courtoise s'est resserrée. Svetlana a été appelée chez Mikoyan qui l'a mise en garde. Elle lui communique mon premier livre dont la traduction a été refusée par l'Union des écrivains soviétiques. La lecture le rassure un peu. Mais que dira d'Astier dans son prochain livre? Je décide de rompre le secret. J'invite Svetlana au thé à l'Hôtel Moskva, le plus couru de Moscou, sur la place Rouge. Tout se sait. Les autorités lui téléphonent et la convoquent avant la rencontre. Elle refuse, et dit: « J'irai après... » Les temps s'étaient adoucis, il n'arriva rien.

Un an plus tard, elle m'écrivait: « Très cher ami, merci pour votre livre. Je l'attendais, il est venu. Que puis-je vous dire? D'abord, bien qu'il soit impitoyable, je l'aime. Je crois que c'est un bon livre, utile à mon peuple. J'ai toujours senti que vous compreniez le caractère du héros: c'est étrange, mais vous l'avez compris. Et je l'ai senti voilà un an quand nous en parlions à Moscou... C'est seulement mon opinion et je suis sûre que d'autres le jugeront autrement. Je crois maintenant que vous avez commencé à mieux comprendre la Russie: c'est un pays si cruel et si merveilleux! »

*Portrait souvenir*

Svetlana est privée de tout, sauf de la sécurité matérielle: rideau de silence. L'âme est enfermée dans l'idéologie et les frontières. A l'Université où elle est professeur de philologie anglaise, des gens s'écartent d'elle. Elle se souviendra de Siniavski l'écrivain rebelle qui, dans un geste d'amitié, lui a tendu son manteau. Elle est veillée: chacun qui la reconnaît se retourne sur son passage. Elle ne peut pas secouer la tutelle, le nom de Staline sur ses épaules. Peut-être a-t-elle séjourné dans huit villes. Elle n'a passé la frontière qu'une fois pour voir Berlin-Est: une vie conditionnée à Moscou, des loisirs conditionnés à Sotchi ou sur la mer Noire. Un jour elle nous écrit: « Je n'ai absolument pas le sentiment des frontières, des Etats, des nationalités, bien que je sois l'objet de leurs conventions et que j'en souffre. Je vois la terre entière comme mienne, tous les peuples comme miens. »

Svetlana a eu deux enfants, trois maris. Le dernier, Singh, le plus cher, communiste fantasque, est mort. Là vient l'aventure. Elle avait rencontré Singh en 1963 dans une clinique de Moscou. Il était très malade. On enlevait à Svetlana ses amygdales. Ils se retrouvent dans une maison de convalescence. L'amitié était là, puis l'amour. Hindou, il ne voulait pas voir tuer une mouche: il fallait ouvrir la fenêtre et lui donner la liberté. On lui mettait des sangsues: il ne fallait pas les jeter dans le bain d'eau salée, mais leur garder la vie et s'en resservir. Ils se sont mariés malgré l'opposition des autorités. Pendant des mois ils ont vécu dans la peine jusqu'à la mort de Singh, jusqu'à son départ à elle.

Un jour de novembre 1966, Svetlana s'envole pour les Indes avec les cendres de son mari. Elle s'installe dans un petit hameau sur le Gange, Kalakankar, éblouie par l'Inde, bouleversée par la misère, enfin ignorée.

Chaque matin un oiseau bleu vient à sa fenêtre. Comme là-bas, elle l'appelle l'oiseau de la chance.

Plus tard, elle-même racontera cette période où elle a été « un bout de bois emporté par un torrent ». Ecrire, retrouver ses enfants, vivre: elle est partagée. Elle se libérait dans ses mémoires. En janvier 1967, elle me demande conseil, elle veut m'envoyer un manuscrit. Mais l'Inde ne veut pas la garder. Sa décision est prise. Aux derniers jours de février, je lui télégraphie pour l'inviter en France. Trop tard.

Elle raconte encore:

« Deux semaines après mon arrivée, le Gouvernement soviétique m'avait ordonné de revenir. J'insiste pour rester. J'obtiens le 1er mars. Je dois repartir pour Delhi. Votre télégramme m'invitant à un séjour en France est inutile. Je m'installe dans un hôtel pour Soviétiques, à proximité de l'ambassade. Je ne pouvais plus convaincre, je ne pouvais plus rester. Le dernier jour, il y avait à l'ambassade soviétique, dans l'après-midi, une grande réception pour militaires. Tout le monde était occupé à autre chose. J'ai soudain senti que je ne retournerais jamais, j'ai pris la petite valise où je n'avais presque rien. J'ai appelé un taxi indien pour aller à l'ambassade américaine... »

Elle précise que les ambassades sont côte à côte. L'Amérique, la Russie, une petite Suisse entre les deux, la France.

« C'était le moment de la fermeture. Il y avait à l'entrée un « marine ». Il était si grand! Il m'a laissé entrer; j'ai vu un secrétaire à qui j'ai dit que je demandais protection. Au premier instant, même après avoir vu mon passeport, il ne me croyait pas. Sans doute ont-ils appelé Washington. Par chance, ils ont découvert que ce soir-là il y avait le seul avion qui allait quitter l'Inde, pour l'Occident, pour Rome. Je suis partie pour l'aérodrome, accompagnée d'un ange gardien. A Rome, ils ont pris la décision de m'envoyer en Suisse. Je n'ai vu que les faubourgs, et à l'aérodrome il y avait déjà la foule des journalistes. Ils se pressèrent dans un autre avion. Cela m'amusait de me cacher et de leur échapper... Berne, et puis une course de refuge en refuge. »

De Suisse, elle nous écrit à la mi-mars : « Comme c'est intéressant de voir le monde ! Pour vous c'est peut-être difficile de me comprendre. Mais pour les gens soviétiques qui vivent encore isolés du monde, c'est une découverte importante. J'ai vu beaucoup aux Indes, j'ai vu un peu les alentours de Rome, enfin la Suisse. »

*En Suisse*

Nous voilà, ma femme et moi, en Suisse. La mi-avril est là. Aux alentours de Fribourg mai ne s'annonce pas aux arbres. D'un petit perron, je regarde la scène. Dans la cour pavée de la Maison Neuve, à Nonan-sur-Matran, si paisible, si accordée qu'elle paraît déjà cent ans, une voiture arrive. Svetlana en descend, et son ange gardien. De loin, apercevant ma femme devant la maison, elle sourit : un mouvement de la tête comme pour dire : « Voilà, enfin... » Ma femme, la fille de Krassine et Svetlana la fille de Staline s'embrassent. Depuis trois ans, elle se sont découvertes dans une correspondance pathétique. Les lettres de Svetlana sont belles. Elle est la même depuis la dernière fois que je l'ai vue en 1964, à Moscou: un peu voûtée, un peu épaissie dans son tailleur gris sous le casque bouclé de ses cheveux roux. Je descends, tandis que m'assaillent le temps passé, l'Histoire et la vie mêlée. C'est le 50e anniversaire des dix jours qui ébranlèrent le monde: Staline, déjà l'appareil, Krassine qui aimait Lénine et craignait Staline. 1924 Lénine meurt, 1926 Krassine meurt: cette année-là une enfant naît, Svetlana, après ses deux frères Jacob et Basil. La Révolution devient sauvage et s'incarne dans un seul homme. 1932 Nadiejda Alliloueva, la femme de Staline, se suicide. Trente-cinq ans plus tard, deux femmes russes, dont les chemins se sont croisés, se rencontrent. Je descends. Tout le monde se retrouve auprès de Svetlana: un Claude, une Bertrande, les hôtes, un ange gardien suisse sympathique, devenu un ami, et qui s'écartera discrètement. Svetlana paraît si peu russe. Elle pourrait être une Suissesse allemande et nous venir de Zurich. Aux entretiens, quelles seront les langues employées? Svetlana me rappelle qu'elle en parle trois, le russe, l'anglais, l'allemand. Elle ajoute: « Je n'aime pas parler allemand. » Elle ressemble à ses deux grand-mères, la mère de Staline, géorgienne, la mère de Nadiejda Alliloueva qui appartenait à cette colonie allemande à l'est de l'Ukraine et qui ne parlait que l'allemand et le géorgien.

Voilà trois ans que je n'ai pas revu Svetlana. Je me souviens comme hier de notre première rencontre: la femme russe en peignoir. Elle nous dit aujourd'hui: « C'était du toupet, mais c'était gentil. » Il faut mettre bout à bout un passé lointain, les dernières années, les derniers mois, le présent. La nature nous aide, le soleil dans les bois, les primevères et les anémones sauvages, la petite fille qui court toute seule dans son bonheur à elle, cette paix inimitable que nous donnent les personnages tranquilles, le lieu, une Suisse sage que les agités appellent ennui.

Svetlana essaie la veste de daim – couleur de ses cheveux – que nous lui avons apportée : Bertrande d'Astier lui met autour du cou une écharpe d'Hermès. Elle touche la soie. Nous sommes tous assis. Le premier propos de Svetlana est pour nous dire que c'est la première fois depuis trois ans qu'elle a trouvé la paix et l'intelligence des gens autour d'elle. Elle répète : « Fribourg c'est petit. Il n'y a pas trop de chaque chose et c'est assez ainsi. » Elle a été à la fois protégée et libre. La meute des chasseurs d'images et de sensations, avec les dollars, les francs, les chéquiers à la clé ne l'ont pas atteinte. Du refuge à l'auberge, de la rue à la boutique, elle a pu leur échapper. Le visage du conseiller, de la vendeuse, du passant n'était ni inquisiteur ni avide : « Je n'ai pas travaillé. Je me suis reposée. J'ai reçu des messages du bout du monde. Je suis tranquille : ma seule souffrance, c'est mes enfants »... Elle va du russe pour ma femme (« Voilà des semaines, dit-elle, que je n'ai pas pu parler russe ») à l'anglais pour moi. La surprise, c'est quelques phrases d'un français précaire et pur, sans accent, sans le r sur la langue ni l'erreur grammaticale qui trahissent l'origine russe.

Nous allons nous promener aux champs. L'herbe est encore humide. Svetlana a troqué de petits escarpins noirs contre des chaussettes de laine et des bottes de caoutchouc un peu trop grandes. Elle rit de sa démarche raide.

Dans le parc de Nonan-sur-Matran, dans le salon, au repas, les propos décousus rebondissent en russe, en anglais, en français. Svetlana a toujours son visage de daine au pelage roux, ses yeux pervenche si pâles qu'on les voit blancs. Je lui dis de se tenir plus droite. Elle s'est voûtée sous la pluie des événements. Elle a pris l'habitude de se toucher ou de se masquer le visage devant l'éclat malsain du nouveau monde qui l'envahit. Sviet en russe signifie lumière. Elle ne la retrouve que dans l'oubli et une familiarité. Elle est ferme et retenue. D'un coup elle rit: rire doux et chaud, roucoulement dans la gorge. La lumière lui vient alors aux yeux ronds et lavés, aux petites dents blanches, aux mains étroites et délicates. Chacun l'aime aussitôt et se sent à l'aise. Singulièrement immobile, elle parle très distinctement sans presque remuer les lèvres. Une pause avant chaque réponse: son ton est assuré, sans embarras: « Depuis que j'ai quitté Delhi, tout semble suivre un plan établi, tout semble mû par une force inconnue et puissante... » Nous nous chamaillons sur son départ pour l'Amérique. Derrière le front et les yeux, il y a une maîtrise, une fermeté inébranlable. Elle aime tout sauf l'artifice. En même temps tout cela l'amuse. Enfantine, plus encore ignorante de la vie et de cet Occident qu'elle va affronter.

Les deux femmes russes parlent: « J'ai vécu quarante ans en Russie, je veux vivre quarante ans ailleurs », dit Svetlana... « Khrouchtchev était humain. Les trois dernières années ont été insupportables: les obstacles, la

maladie et la mort de Singh. » Louba Krassine dit:
« Vous allez affronter le monde capitaliste, sa violence
et ses obstacles. Ne me dites pas que la Révolution a
été pour rien. Tout de même quelque chose a bougé. »
Un silence. Svetlana, retenue, dit: « Oui, quelque chose
a bougé » ... « L'Amérique est peut-être une expérience
passionnante, Svetlana, j'ai peur de l'Amérique pour
vous.» – «Je ne crois pas que l'Amérique soit pour moi
et que j'aimerais y rester toujours. Je veux revenir en
Suisse, voir la France, et ailleurs, et l'Inde pour toujours.»

Dieu, Staline, l'Union soviétique, les Etats-Unis sont
les forces présentes. Dieu: le mot ne sera pas prononcé,
mais pour elle son image est là, qui lui donne la séré-
nité. A Moscou, en 1962, elle m'avait dit: « J'ai trouvé
la foi. » Je lui avais demandé: « Quelle religion? » –
« Peu importe, je crois. Pour la forme, j'ai pris ce qu'il
y avait chez nous... la religion orthodoxe. »

Staline, le nom ne sera pas dit. Les images que
Svetlana m'a confiées, les lettres du père, les longues
notes qu'elle m'a envoyées sur ses proches, les caractères, les querelles et les mots semblent enfouis. Peut-
être ce premier livre de souvenirs qu'elle a déjà envoyé
en Amérique l'a-t-il délivrée. Déjà dans ses lettres de
l'Inde, nous sentions qu'elle voulait l'arracher d'elle-
même, rendre irréversible la voie choisie, mettre la
bouteille à la mer. Il reste ici à Nonan la stupeur devant
le monde découvert, et le problème de ces deux grandes
forces qui la contraignent: l'Union soviétique et les
Etats-Unis.

*Intimité*

La nuit vient. Svetlana traîne ses quelques vêtements. Elle nous montre un petit portefeuille rouge où il n'y a que deux images: celle de Singh, visage émouvant, peu de temps avant de mourir et une coupure de presse suisse où elle a retrouvé les figures de Joseph et de Katia, ses enfants, son souci.

Que veut Svetlana? Elle est un oiseau bleu aussi, à une fenêtre fermée. L'oiseau bleu veut faire son nid dans un arbre en face de la maison. Elle veut voir le monde, avide de connaître tous les lieux, tous les hommes. Elle a une nature d'écrivain: elle veut confier son expérience. Elle déteste les histoires qui ont été publiées et tant de fausses photos. Elle sait que ses livres feront du bruit. Ignorante et surprise, elle veut affronter la vérité et tout dire. Elle déteste l'argent: elle veut investir ses mémoires à Kalakankar pour l'amour de Singh et de l'Inde, se donner au pays de son mari qu'elle vénère par-dessus tout. Elle veut aussi écarter la peine, retrouver ses enfants. Ils sont de l'autre côté. Ils peuvent ne pas comprendre, la blâmer. Elle a une angoisse.

« Svetlana, que rêvez-vous? » Ses yeux s'embuent: « Je rêve que je marche sur cette herbe verte et que je vois tout avec Katia, ma fille. »

Sa nature, ses goûts? Elle préfère la musique à la peinture: elle met Bach au-dessus de tout. Elle est tendre et discrète: quand elle vous parle, elle vous touche volontiers le bras ou la main. Maintenant elle se tient droite sans effort. Au regard d'une blouse verte ses

yeux deviennent verts. Elle ne va jamais au flot des
détails et des explications, comme la plupart des femmes.
Elle s'arrête aux meubles et aux tissus. Elle a aimé
ses hôtes, ma nièce Bertrande d'Astier-Blancpain. Elle
est végétarienne et ne fume pas. Le soir, nous allons
manger dans une vieille auberge la raclette suisse. On
fait fête, on vient au fou rire: elle goûte la viande des
Grisons et fume une cigarette. La raclette lui rappelle
la fondue géorgienne. Nous parlons trop fort. Des
noms de l'histoire surgissent, familiers. Un petit ser-
veur a les yeux ronds. On se tait soudain pensant aux
conséquences. Le lendemain, un journaliste anglais
forçait la porte de notre retraite. Trop tard.

Elle est partie. La reverrons-nous? Combien de
temps la presse, les photographes, l'Amérique la
détourneront-ils de la paix? Aujourd'hui, je l'imagine
déchirée entre les intellectuels généreux et les hommes
d'affaires avides. Déjà elle s'interroge.

Dans le fracas des nouvelles, après la mort de Bertrande, ma nièce, qui l'avait hébergée à la Maison
Neuve, l'accident tragique sur la route de Lausanne,
j'ai eu un télégramme, sa première pensée à New
York: « Je ne peux pas oublier Bertrande. Son visage
est devant mes yeux, la vie est sans merci. »

L'Union soviétique, en cinquante ans, a fait un bond
de deux cents ans. Elle approche de la sagesse et de
la maturité. Le silence, le secret, la pression sur les
hommes et les femmes qui en ont souffert font plus
de tort à l'Union soviétique qu'une générosité, une
pensée libre, une aventure ouverte avec leurs risques.

Pour les ouvrages de Svetlana, quels qu'ils soient, ils seront toujours exploités par l'anticommunisme et par l'appétit scandaleux d'une certaine presse occidentale. Le temps, le vent chasseront les scories. Les récits d'une femme qui veut ignorer la politique et le communisme auront moins de retentissement que le rapport Khrouchtchev. L'Union soviétique est en mesure aujourd'hui de dominer l'Histoire. Les Kravchenko sont toujours fabriqués par les deux parties en cause. Svetlana n'est pas de cette espèce, elle n'est qu'une femme qui a trouvé une foi et cherche sa vie.

La liberté n'est pas seulement un mot que l'on clame à la face du monde. Svetlana n'est pas une excuse pour l'Amérique, pour la guerre au Vietnam, la ségrégation raciale, la civilisation de consommation ou une domination mondiale. Voilà l'été 1967. Le temps passera. J'espère qu'il laissera Svetlana à ses enfants, à sa fortune qui est de courir le monde et de retrouver ses rêves aux rives du Gange.

# CORRESPONDANCE

*Lettre N° 1*

A Setanka, à la patronne
Tu as sûrement oublié ton vieux papa. Et c'est pour ça que tu ne lui écris pas.

٠ Comment va la santé? Pas malade? Ecris-moi comment tu passes ton temps. As-tu rencontré Leulka? Les poupées sont-elles encore vivantes? Je m'attendais à recevoir des ordres bien vite, mais d'ordres il n'y a point. C'est pas bien. Ça fait de la peine au vieux papa.

Voilà, je t'embrasse.

J'attends ta lettre.

Papa.

*Lettre N° 2*

15/VI/34

Bonjour Setanotchka!

Bien reçu tes lettres. On voit que tu n'as pas encore oublié ton vieux papa. C'est bien.

Je me porte bien, mais je m'ennuie un peu sans toi. Il ne reçoit plus d'ordres, ton petit secrétaire, et il s'ennuie.

Je t'envoie des cartes postales. Regarde-les – elles te plairont peut-être.

Tous tes secrétaires te saluent et te prient de ne pas les oublier et de leur envoyer de nombreux ordres. Je t'embrasse, ma petite patronne chérie. Ton papa.

*Lettre N° 3*

Salut! Un grand salut bien bas à Svetlanka – la patronne de son petit secrétaire, c'est-à-dire du camarade Staline.

Camarade patronne! nous avons bien reçu la lettre et l'avons discutée tous ensemble avec la plus grande satisfaction. Nous te remercions de cette lettre qui nous a aidés à mieux comprendre les complications des questions internationales et intérieures. Ecris-nous plus souvent, camarade Patronne. Nous t'en prions.

Je vais bien (et Vasia aussi), mais je m'ennuie, car ma patronne n'est pas avec moi. Je t'embrasse bien fort, mon petit moineau, ma joie.

Ton papa. J. Staline  8/IV/1936

*Lettre N° 4*

6/VII/37

A ma patronne, à mon petit moineau – salut!

Bien reçu les deux lettres. Merci, petite patronne! C'est bien qu'elle n'oublie pas son vieux papa.

Tu te demandes, ma patronne, si ça vaut la peine d'aller à Sotchi. A toi de décider. Tu peux y aller quand tu veux, tu peux ne pas y aller du tout et rester en Crimée pour tout l'été. Ça te regarde. Ta décision sera la bonne.

Comment je vais? Je vais bien. Dans l'attente d'aller mieux.

Voilà, au revoir, petite mouche. Je t'embrasse bien, bien fort.

Ton papotchka

J. Staline

*Lettre N° 5*

Bonjour, mon petit moineau!

Bien reçu ta lettre. Merci pour le poisson. Seulement je te prie, petite patronne, de ne plus m'envoyer de poisson.

Si tu te plais tellement en Crimée, tu peux rester à Moukhanatka tout l'été.

Je t'embrasse bien fort.

Ton papotchka.

7/VII/1938

*Lettre N° 6*

A ma patronne – Setanka – Salut!

Bien reçu toutes tes lettres. Merci pour les lettres! Je ne répondais pas parce que j'étais très pris. Comment passes-tu ton temps, comment va ton anglais, te sens-tu bien?

Je suis en bonne santé et gai comme toujours.

Je m'ennuie un peu sans toi, mais qu'est-ce qu'on peut faire? Je me résigne.

Je t'embrasse fort, très fort.

Ton petit secrétaire.

Papka – Staline

J'embrasse ma petite patronne.

22/VII/1939

October, 6.

My dear friend,
I was so glad finally to recieve
your letter (your second letter
from Venice). Your first letter
I have not yet seen. Your friend
m. Lalou will come to-morrow,
and I want to answer all your
questions.

1.) Anna Allilovena, the author of
"Memoirs" is my aunt, my mother's
sister, the widow of Redens.
Redens was arrested in 1938 and was
shot at the prison. Anna was
in prison herself from 1948 till
1954 Her "memoirs" were printed
in Moscow firstly in 1946 and
then in 1956. My father was
in a rage that she wrote them.

2.) My mother's brother Paul was
a military man. he died in

Fac-similé d'une lettre de Svetlana Alliloueva à Emmanuel d'Astier.

# SUR STALINE

*Lettres de Svetlana Alliloueva à Emmanuel d'Astier*

6 octobre.

Mon cher ami,

J'ai été très heureuse de recevoir enfin votre lettre (votre deuxième lettre de Venise). Votre première lettre, je ne l'ai pas encore vue. Votre ami, M. Lalou, viendra demain. Je tiens à répondre à vos questions:

1. Anna Alliloueva, l'auteur des *Memoirs,* est ma tante, la sœur de ma mère, la veuve de Redenss. Redenss fut arrêté en 1938 et a été abattu dans sa prison. Anna a été en prison elle-même de 1948 à 1954. Ses *Memoirs* ont été publiés à Moscou une première fois en 1946, puis en 1956. Mon père était furieux qu'elle les ait écrits.

2. Le frère de ma mère, Paul, était un militaire: il mourut en 1938 d'une crise cardiaque. De retour de vacances pour reprendre son travail, il découvrit qu'une grande partie de ses collaborateurs avaient été arrêtés; il en fut si impressionné qu'il tomba malade et mourut à son bureau. C'était un homme bon, au cœur tendre – je n'en peux dire autant de sa veuve, Evgenia.

3. Ce furent deux servantes qui trouvèrent ma mère morte, un matin – ma nourrice Alexandra et Karolina, la gouvernante, qui avaient l'habitude de réveiller ma mère de bonne heure. Quant à moi, je vis sa dépouille une dernière fois avant les funérailles, et j'ai été terriblement effrayée. Mon père n'assista pas aux obsèques. Tous les autres détails que vous donnez sont exacts. (Je crois que ce livre anglais sur mon père est fondé sur des légendes et des mensonges.)

4. Mon père n'était pas à Sotchi lors de l'invasion. Il était à Moscou. Il n'allait plus à Sotchi pour ses vacances

depuis 1937 (il avait peut-être peur de quitter Moscou). Je sais cela très exactement. Je ne l'ai pas vu moi-même durant ces journées (il était comme d'habitude à Kountsevo), mais nous nous sommes téléphoné le 23 ou le 24 juin.

5. Mon père vécut dans sa datcha, à Kountsevo, après la mort de ma mère. Après la guerre il venait très rarement au Kremlin. Comment vous décrire Kountsevo? C'était une grande maison, à deux étages; mon père vivait dans deux ou trois chambres au rez-de-chaussée. Il n'avait pas de bureau, pas de salle à manger, pas de chambre à coucher. Il y avait une grande chambre avec une grande table, pleine de papiers, de livres, de journaux, et le divan sur lequel il dormait. Il y avait deux terrasses où il jouissait des jours chauds. Tel était l'endroit où il aimait travailler ou lire. C'est dans cette chambre qu'on le trouva, gisant sur le tapis. A part cela, il y avait un grand vestibule où beaucoup de gens avaient l'habitude de manger avec mon père. Il mourut dans cette chambre, sur ce divan où les domestiques l'avaient transporté. C'était son habitude de dormir sur ce divan. En été, il avait coutume de lire et de se promener dans le parc, tout seul. Il aimait la solitude. Lorsqu'il tomba malade, les derniers jours je n'ai pas pu rester seule avec lui. Il y avait beaucoup de monde autour de lui, médecins, membres du gouvernement (Vorochilov, Boulganine, Khrouchtchev, Béria, Malenkov... tout le monde...).

6. Le livre anglais sur mon père est faux: je n'ai jamais vu de ma vie Rosa Kaganovitch, et je crois que cette personne n'a jamais existé. J'ai connu sa femme (*sic*), sa fille, son frère, mais je n'ai jamais vu aucune sœur Rosa.

Et je n'ai jamais été aux Etats-Unis. J'ai été à l'étranger seulement une fois, en 1947, lorsque j'ai fait une visite à mon frère Vassili, en Allemagne de l'Est (la zone d'occupation) où il était avec son régiment de l'armée de l'air.

7. Je ne sais rien de précis au sujet de Mekhlis – je l'ai vu peut-être deux ou trois fois dans ma vie, lorsqu'il rendait visite à mon père.

8. Mariko Svanidzé était la sœur d'Alexandre Svanidzé (la tante de Jonny); Mariko était la secrétaire de Iénoukidzé et a été arrêtée en même temps que lui. Elle mourut en prison. Je ne me souviens plus si j'ai revu Abel Iénoukidzé après la mort de ma mère.

Je me réjouis de vous revoir et de parler avec vous encore une fois.

Bonne chance et Dieu vous bénisse. Votre Svetlana.


Cher Monsieur d'Astier,                    7 octobre 1962.

Ma tante Anna sortit de prison en 1954 (elle y était depuis 1948). Elle n'a jamais été très proche de ma mère – elle n'était ni aussi intelligente, ni aussi intéressante qu'elle. Je ne vous conseille pas de la voir, parce qu'il est difficile de lui parler, elle est sortie de prison un petit peu dérangée, elle mélange tout dans sa tête et n'a jamais compris ma mère. Oncle Paul a été un véritable ami de ma mère, beaucoup plus que ma tante. Son mari, Stanislas Redenss, était Polonais; il a travaillé avec Dzerjinsky qui était un thékiste bien connu. Jusqu'en 1938, il rendait très souvent visite à père – au même titre que les autres membres de la famille.

Mère se suicida dans la nuit du 8 au 9 novembre 1932. Les domestiques l'ont trouvée dans son lit et le revolver (que lui avait donné oncle Paul) près d'elle, les domestiques, pas moi. J'avais été éloignée et la vit pour la dernière fois avant les funérailles seulement. (Ma nourrice m'a raconté toute l'histoire après coup.) Il y avait eu une dispute entre elle et mon père durant le repas du jour précédent – un repas de fête (le 8 on avait l'habitude de célébrer la Révolution d'octobre); il y avait beaucoup de personnes qui assistèrent à cela. Père n'était pas aux obsèques; Iénoukidzé oui.

Il me semble que dans son rapport du 20ᵉ Congrès du Parti, Khrouchtchev raconte que mon père était à Moscou le jour de l'invasion; pouvez-vous trouver ce rapport? (Voyez *L'Humanité*.)

Ce que je sais exactement, c'est qu'il n'allait plus dans le Sud pour ses vacances (comme il l'avait fait les années précédentes), après 1937–1938. Il passait l'été dans sa datcha de Kountsevo, et en 1941 aussi.

Je n'ai pu voir père durant les trois derniers jours de sa vie parce qu'il était trop entouré. Il était couché dans le grand vestibule de sa maison de Kountsevo (où avaient lieu habituellement dîners et réceptions) et la pièce était pleine de gens. Il y avait les médecins, les officiels, les domestiques et les membres du gouvernement. Il était clair que l'on ne pouvait rien faire, mais chacun y allait de son avis. C'est seulement lorsqu'il rendit son dernier soupir que la chambre se vida. Je restai là jusqu'à ce que le corps fût emporté à l'hôpital pour l'autopsie, tard dans la nuit, mais quelques officiels étaient restés dans la pièce. Les domestiques vinrent le contempler

pour la dernière fois, ainsi que son garde de corps.
Durant la guerre, je vis mon père très rarement.
A la fin d'octobre 1941, à la fin de novembre 1941 et en
janvier 1942, je le rencontrai dans l'abri du Kremlin. Il
me fit appeler en automne 1942, lors de la visite de
M. Churchill. En hiver 1942–1943 eut lieu notre première querelle à cause d'Alexis Kapler (voyez plus bas),
dont j'étais tombée amoureuse (j'avais 17 ans, lui 38).
En mars 1943, Kapler fut arrêté et père me dit qu'il était
un espion anglais. Nous ne nous adressâmes plus la parole
durant une demi-année et je ne revis mon père qu'en
automne 1943, quand j'entrai à l'Université. Puis je le
vis en décembre 1943 à son retour de la Conférence de
Téhéran. Il était gai et bien luné et plus aussi fâché contre
moi qu'avant. Ensuite je le revis en mai 1944 (toujours
à Kountsevo) lorsqu'il me donna la permission d'épouser
mon premier mari, un étudiant. Mais mon père était de
nouveau fâché parce que mon mari était Juif – il n'a
jamais consenti à faire sa connaissance (jusqu'en 1947,
année de mon divorce). Après cela, je le vis en septembre 1944, et après – seulement en été 1945, après la
victoire, à la naissance de mon fils. Avant la guerre, je le
voyais presque tous les jours, parce qu'il venait dîner
dans notre appartement du Kremlin. Les derniers temps,
je le vis lors de son anniversaire le 21 décembre 1952. Pas
entendu parler de son fils adoptif Boris.
Mariko Svanidzé était la sœur d'Alexandre Svanidzé. Elle fut arrêtée en 1937 et (aux dires de mon mari
Johny) fusillée en prison. Les trois sœurs Svanidzé:
Ekaterina, Alexandra et Mariko et le frère Alexandre
ne sont plus en vie actuellement.

Ma mère alla à Léningrad en 1926, avec mon frère et moi, ainsi que ma nourrice (qui me raconta l'histoire). Maman voulait vivre à Léningrad, où vivait son père (grand-père Serge Allilouev), elle ne voulait pas retourner à la maison. Mais... deux semaines après, elle y retournait.

Je pense beaucoup à vous et avec grand plaisir. Soyez heureux et en bonne santé. Dieu vous bénisse. Votre Svetlana.

Merci pour le livre.


Mon très cher ami,

Merci pour le livre – j'ai besoin de le lire. En mars, j'avais lu dans *L'Observateur* votre interview à son sujet et appris que le livre allait bientôt paraître. Je l'attendais et le livre est arrivé.

Que puis-je vous dire de ce livre?

Avant toute chose, quoique ce soit un livre impitoyable, il me plaît. Je pense que c'est un bon livre, utile à mon peuple. J'ai toujours senti que vous aviez saisi le caractère du héros – étrange, mais vous l'avez compris. J'avais le sentiment de cela il y a une année, lorsque nous en avons parlé à Moscou. Mais je dois dire que le livre est encore meilleur que ce que j'avais imaginé. C'est, bien sûr, mon opinion personnelle et je suis sûre que d'autres gens le jugeront d'une autre manière. C'était si agréable pour moi de trouver même les petits détails à leur juste place. Je pense que vous commencez à mieux comprendre la Russie – elle est réellement aussi cruelle, et aussi belle! Bien sûr ce n'est pas votre faute si le livre est cruel, tel était le héros. Et de plus en plus je ne peux m'empêcher de penser – après avoir lu le livre – que j'ai moi-même beaucoup de traits de caractère de mon père, mais je ne peux l'expliquer...

J'ai peur que le livre ne plaise pas en Russie. Vous critiquez beaucoup trop le communisme – voilà la raison. Et bien sûr les gens comme Pavlov seront furieux : vous ne pouvez pas imaginer combien je rencontre de plus en plus d'adorateurs de mon père. Même les gens qui en ont été victimes parlent de lui comme d'un grand homme. Une bonne amie à moi, veuve d'un peintre et vieille dame, qui elle-même passa dix-sept ans en prison, camp et exil, me dit au sujet de votre livre (je le lui avais prêté) : « Il ne comprend pas la Russie du tout, l'Europe ne nous comprendra jamais ; la manière de vivre des Européens est tout autre que la nôtre. Je n'aime pas ce livre – nous ne sommes pas aussi mauvais qu'il veut bien le croire. Ils pensent encore que nous sommes des sauvages. »

Un autre de mes amis, professeur de chimie, m'a dit qu'il aimait votre livre, et surtout son auteur. Je vous donne des opinions d'intellectuels. J'ai peur que l'opinion officielle soit plus mauvaise.

Quoiqu'il soit pénible à lire, je reconnais que je n'ai pas un instant regretté d'y avoir contribué pour une petite part par mes conversations. Et je suis si heureuse que ce livre nous ait permis de faire connaissance, et encore plus qu'il ait fait de nous des amis.

Quelques petites erreurs peuvent aisément être redressées :

1. Le jeune Svanidzé que vous avez rencontré à Moscou est Ivan Alexandrovitch, ou John, ou Vano

– en géorgien – mais en tout cas pas Jacob. Vous avez
dû confondre les noms.

2. Le nom de ma nourrice (qui était un témoin, etc.)
est Alexandra Andreevna (et non Sergeevna).

3. Le nom de la veuve d'oncle Paul (qui parlait avec
mon père au sujet de Novgorod durant les premiers
jours de la guerre) est Evgenia (Eugénie) Alliloueva.

J'aurais beaucoup de plaisir à discuter de certains
points personnellement avec vous – c'est toujours si
agréable de parler avec vous et de vous voir.

# CHRONOLOGIE

| Dates | Staline | Parti communiste d'Union soviétique | Dates | Le monde |
|---|---|---|---|---|
| 1848 | | | 1848 | Manifeste de Marx et d'Engels. |
| 1861 | | | 1861 | Abolition du servage en Russie (Alexandre II). |
| 1870 | | | 1870 | Commune de Paris. |
| 1879 | Naissance de Staline. | | | |
| 1894 | Séminaire à Tiflis. | | | |
| 1899 | | | 1899 | Deuxième Internationale. |
| 1901 | Staline clandestin. | | | |
| 1902 | Première déportation. | | | |
| 1903 | | | 1903 | Scission mencheviks-bolcheviks. |
| 1904 | Mariage: Catherine Svanidzé. | | | |
| 1905 | Naissance du fils: Jacob. Rencontre Lénine en Finlande. | | 1905 | 9 janvier: Dimanche rouge à Saint-Pétersbourg, le prêtre Gapone. |

| Dates | Staline | Parti communiste d'Union soviétique | Dates | Le monde |
|---|---|---|---|---|
| 1901-11 | Action révolutionnaire au Caucase. | | | Guerre russo-japonaise: Désastres de Port-Arthur et de Tushima. |
| | Déportations et prisons. | | | |
| 1907 | | *Congrès de Londres (social-démocrate). Lénine – Trotski. Intervention de Staline.* | | |
| 1911 | Prague: Staline coopté au Comité central bolchevik. | | | |
| 1914 | Déportation. | | 1914 | Première guerre mondiale. |
| 1913-17 | | | 1915-17 | Revers russes. |
| 1915-17 | Mars: Staline à Pétrograd. | *VIe Congrès (bolchevik): La prise du pouvoir.* | 1917 | 2 mars: Abdication de Nicolas II. |
| 1917 | Nov.: commissaire aux nationalités. Membre du Bureau politique. | | | — Gouvernement provisoire, Douma. |
| | | | | — Août: Gouvernement Kerenski. |
| | | | | — 25 octobre: Insurrection: les bolcheviks au pouvoir. |

| Date | | Congrès | Date | |
|---|---|---|---|---|
| 1918 | Staline dans la guerre civile. | *VIIe Congrès: La paix ou la guerre.* | 1918 | Paix de Brest-Litovsk. |
| 1918-20 | Contrôleur militaire au Caucase puis en Pologne. | | 1918-22 | Guerre civile, interventions étrangères. |
| 1919 | Second mariage: Nadia Allil[o]ueva. | *VIIIe Congrès: Programme. IXe Congrès: La N.E.P. (Nouvelle politique économique).* | | |
| 1922 | Secrétaire général. | | | |
| 1924 | Mort de Lénine. | *XIIIe Congrès.* | 1924 | Mort de Lénine. La Grande-Bretagne, la France et l'Italie reconnaissent l'U.R.S.S. |
| 1924 | Triumvirat: Staline, Zinoviev, Kamenev. | | | |
| 1926 | Naissance de Svetlana. | *XVe Congrès: Ecrasement de l'opposition.* | | |
| 1927 | Staline seul. | | | |
| 1930 | | *XVIe Congrès: Collectivisation intégrale. Offensive générale au socialisme.* | | |

| Dates | Staline | Parti communiste d'Union soviétique | Dates | Le monde |
|---|---|---|---|---|
| 1932 | Suicide de Nadia Alliloueva. | | | |
| 1934 | Assassinat de Kirov. Terreur. | | | |
| | | *XVIIe Congrès : Victoire du socialisme.* | 1936-38 | Guerre d'Espagne. |
| 1937-38 | Grands procès – Terreur. | | | |
| 1939 | | *XVIIIe Congrès : La pause.* | 1939 | Deuxième guerre mondiale. |
| | | | 1940 | Pacte germano-russe. |
| 1941 | Staline avec son Comité de défense au Kremlin. | | 1941 | Invasion de la Russie. Revers soviétiques. Dégagement de Moscou. |
| 1941-42 | | | 1941-42 | Contre-offensive soviétique. Entrée en guerre de l'Amérique. |
| 1942 | Rencontre avec Churchill. | | 1942 | Novembre: Opération Torch, débarquement américain en Afrique du Nord. |

256

| | |
|---|---|
| 1942-43 | Revers soviétiques: Les Allemands sur la Volga et au Caucase. |
| 1943 | Janvier: Stalingrad. Retraite allemande. Décembre: Conférence de Téhéran (Roosevelt, Churchill, Staline). |
| 1944 | Juin: Overlord: Les Alliés en Normandie. |
| 1945 | Février: Conférence de Yalta. Mai: Prise de Berlin, capitulation allemande. Juillet: Conférence de Potsdam. Août: Bombe atomique sur le Japon, capitulation du Japon. |
| 1946-53 | Guerre froide. |

| | |
|---|---|
| 1942-43 | |
| 1943 | Rencontre avec Roosevelt. |
| 1944 | Rencontre avec de Gaulle. |
| 1945 | Les drapeaux allemands jetés aux pieds de Staline. |
| 1946-53 | Kominform. |
| 1948 | Staline contre Tito. |

| Dates | Staline | Parti communiste d'Union soviétique | Dates | Le monde |
|---|---|---|---|---|
| 1949 | Soixante-dixième anniversaire. Terreur – Sénilité. | | | |
| 1952 | Décembre: Affaire des blouses blanches. | *XIXe Congrès: Le Monument.* | | |
| 1953 | 5 mars: La mort. | | | |
| 1956 | | *XXe Congrès.* | | |
| 1960 | | *XXIIe Congrès: Déstalinisation.* | | |

# RÉFÉRENCES

## I. *STALINE*

DEUTSCHER       *Staline,* 1953, N.R.F.
TROTSKI         *Staline,* 1953, Grasset.
Victor SERGE    *Staline,* 1940, Grasset.
B. SOUVARINE    *Staline,* 1953, Plon.

## II. *LÉNINE*

KROUPSKAÏA          *Souvenirs sur Lénine,* Payot.
Gérard WALTER       *Lénine,* Julliard.
Nina GOURFINKEL     *Lénine,* Seuil.
Jean MARABINI       *L'Etincelle,* Arthaud 1962.

## III. *RÉVOLUTION*

John REED       *Les Dix Jours qui ébranlèrent le Monde,*
                Club français du livre.

XXX             *L'Insurrection armée d'octobre à Pétrograd.*
                *Souvenirs des révolutionnaires.* Editions en
                langue française, Moscou.

Victor SERGE   *L'An I de la Révolution,* Librairie du Tra-vail, 1930.

## IV. *TERREUR*

André CILIGA   *Au Pays du Mensonge déconcertant,* 1950, Plon.

Gérard ROSENTHAL   *Mémoire pour la Réhabilitation de Zinoviev,* Julliard, 1961.

SOLJENITSYNE   *Une Journée d'Ivan Denissovitch,* Julliard, 1963.

## V. *ESSAIS*

Jan KOTT   *Shakespeare notre Contemporain,* Julliard, 1962.

André STAWAR   *Libres Essais marxistes,* Seuil, 1963.

## VI. *GUERRE 1941–1945*

*Correspondance secrète de Staline avec Roose-velt, Churchill, Truman et Attlee (1941–1945),* Plon.

SHERWOOD   *Mémorial de Roosevelt d'après les papiers secrets de Harry Hopkins,* Plon.

SUR STALINE

## VII. HISTOIRE GÉNÉRALE

XXX

*Histoire du Parti communiste d'Union soviétique.* Edition en langue française, Moscou, 1960.

Louis ARAGON

*Histoire parallèle : l'U.R.S.S.,* Presses de la Cité, 1962.

François FEJTÖ

*Histoire des Démocraties populaires,* Seuil, 1952.

G. WELTER

*Histoire de Russie,* Payot.

## VIII. DOCUMENTS

*Rapport Khrouchtchev,* Buchet-Chastel, 1956.

*XXIIe Congrès. Rapport.* Editions sociales.

# GLOSSAIRE

## BOLCHEVIKS

ZINOVIEV

Radomylski dit (1883–1936). *Le Secrétaire* dans le Gotha rouge de Lounatcharski. Etudiant en chimie et en droit à Berne. Entre au Parti social-démocrate en 1900, devient bolchevik dès la scission de 1903 et le plus fidèle collaborateur de Lénine avant 1917. Président de l'Internationale communiste en 1919. Expulsé du Bureau politique, puis du parti en 1926-1927, exécuté en 1936.

KAMENEV

Rosenfeld dit (1883–1936). *L'Organisateur* aussi révolutionnaire professionnel depuis 1903 que son « jumeau » Zinoviev qu'il accueille avec Lénine après la révolution de février en Russie où il est le principal responsable du Parti bolchevique juste avant la première guerre mondiale. Réfugié à Paris en 1908, déporté en Sibérie en 1915, vice-président du Conseil des commissaires du peuple en 1922, il dirige le Gouvernement soviétique quand Lénine tombe malade en 1922, s'oppose avec Zinoviev à Trotski et sera la victime de Staline dont il aura consolidé le pouvoir. Exécuté en 1936.

KROUPSKAÏA

Nadiejda Constantinova (1869–1939). *La compagne* du *Vieux* (surnom de Lénine dans le Gotha des premiers révolutionnaires). Son rôle au temps de l'émigration et de l'*Etincelle* est capital. Staline l'insultera après la mort de Lénine en niant grossièrement son rôle d'épouse (au sens sexuel du mot).

KRASSINE

(1870–1927). *Cheval* dans le jargon de la Russie clandestine dont il sera l'agent Nº 1, alors que Lénine demeure le chef extérieur. C'est l'ingénieur Krassine, aux multiples relations avec le patronat et les banques (ami du milliardaire Morozov depuis 1904) qui prépare la révolution de 1905 à Saint-Pétersbourg. Mondain et humaniste, responsable des « groupes d'action » de Lénine, imprimeur au Caucase de littérature subversive avant Staline, fabricant clandestin d'explosifs avant Kamo et Litvinov. Directeur d'usines (la Siemens), son prestige de grand ingénieur permettra de rallier aux bolcheviks bien des techniciens et des membres de l'intelligentsia russe. Ce révolutionnaire moderne (au sens de la fin du XXᵉ siècle) n'adhérera au Parti bolchevique qu'en 1917. Ses relations avec les techniciens allemands, en particulier à Berlin, seront utilisées alors qu'il est commissaire du peuple aux Transports et au Commerce extérieur. Par la suite, ambassadeur en Grande-Bretagne et en France, il entamera avec brio le dialogue avec les puissances capitalistes. Cet ancêtre de l'U.R.S.S. moderne (« le plus occidental », selon Sforza), semble encore inspirer aujourd'hui Kossyguine.

BOUKHARINE

(1888–1938). *Le Théoricien*, « le fort en thème », fils de professeur, le plus diplômé de l'école bolchevique, que Lénine désigne avant de mourir pour sa succession. Fin connaisseur des Etats-Unis, créateur de « Novy Mir », il est, en 1918, l'animateur des communistes de gauche avant de se faire, après 1923, le champion de la théorie du développement graduel et pacifique de la N.E.P. et du développement paysan « libéral ». Dénonciateur de la « bureaucratie », il est, après 1918, le chef de file des « droitiers ». Exécuté en 1938, réhabilité sous Khrouchtchev.

ORDJONIKIDZÉ

(1886–1937). Bolchevik dès la scission de 1903. Lié à Staline à Tiflis, élève de Lénine à Longjumeau, organisateur de la Conférence de Prague, membre du Comité central dès cette époque, héros de la guerre civile, il dirige, comme secrétaire du Parti de Transcaucasie la « réunification » de la Géorgie avec une rudesse qui provoque sa demande d'expulsion par Lénine. Staline en fera son commissaire à l'Industrie lourde. Après avoir tenté de sauver son frère et son adjoint Piatakov, se suicide en 1937.

LOUNATCHARSKI    (1873–1933). *L'Intellectuel,* protecteur des arts et lettres. Bolchevik dès 1903 avec des passages au menchevisme. Commissaire du peuple à l'Instruction publique en 1917, de caractère très indépendant, il est relevé de ses fonctions en 1929 et meurt à Paris en se rendant en 1933 à Madrid où il est nommé ambassadeur.

KOLLONTAÏ    (1872–1952). *La suffragette de la Révolution.* Intellectuelle, fille de général, commissaire du peuple à la Santé, grande amie de Lénine, puis de Staline et de Vorochilov, elle introduit le divorce en Russie et sera ambassadrice à Oslo, Mexico, Stockholm où elle négociera la paix sino-soviétique. Dès cette époque, printemps 1940, elle prévoit l'invasion allemande. On dit que ses *Mémoires,* écrits avec l'autorisation de Staline, sont déposés au Kremlin.

SVERDLOV    (1885–1919). *Le Sérieux.* L'un des bolcheviks de la première heure les plus remarquables, premier administrateur du parti aux côtés de Lénine où il cumule les fonctions de secrétaire du Comité central et celles de président de l'Exécutif des Soviets. Est le porte-parole des bolcheviks au débat unique de la Constituante

où il présente « les droits du prolétariat ».
Mort de maladie en 1919. Aurait proba-
blement succédé automatiquement à
Lénine s'il avait vécu.

DZERJINSKI
(1877-1926). *L'astronome,* « l'homme au
cœur de colombe » qui rêve de pureté
révolutionnaire absolue et forge pour
l'assurer le « glaive rouge » de la Tchéka
puis du Guépéou. Il meurt après un violent réquisitoire contre l'opposition.

TOMSKI
*Vieux bolchevik,* dirigeant syndicaliste,
membre du Bureau politique. Mis en
cause aux procès de 1936. Il se suicide en
1937.

VYCHINSKI
*Procureur,* vice-commissaire du peuple
(1940-1953). Ministre des Affaires étrangères.

MDIVANI
*Ami de jeunesse de Staline.* Géorgien,
membre du Comité central, exécuté en
1937.

IOFFE
*Vieux bolchevik,* représentant des Soviets
à Berlin en 1917-1918. L'un des négocia-
teurs du traité de Brest-Litovsk.

CHTCHERBAKOV
Chef de la direction politique de l'armée.

DOVATOR
Général, major commandant de la cavalerie cosaque en 1911. Héros de l'Union
soviétique.

## *MENCHEVIKS*

PLEKHANOV

Introducteur du marxisme en Russie et premier maître de Lénine. Arbitre au-dessus des factions au Congrès fatidique de 1903, il se range un temps au côté de Lénine, puis se rapproche des mencheviks. Il conserve cependant une place à part et mérite bien son surnom de *Pape du mouvement ouvrier russe* que lui reconnaît Lénine.

MARTOV

Ami-ennemi de Lénine, son compagnon depuis la première « Union pour la libération ouvrière ». Leader des mencheviks internationalistes après 1903, Lénine parlera encore de lui dans son agonie.

## *TÉMOINS*

Victor SERGE

(1890–1947). Socialiste belge. Journaliste révolutionnaire, communiste. En Russie de 1919 à 1936. Exclu du parti en 1926. Déporté. Ouvrages importants: *Il est Minuit dans le Siècle, L'An I de la Révolution, Mémoires.*

John REED

(1887–1920). Journaliste, poète, révolutionnaire. Arrive à Léningrad en septembre 1917 avec sa femme Louise Bryant. Il vit et relate les dix jours qui ébranlèrent le monde.

| | |
|---|---|
| Maïakovski | Poète et écrivain de théâtre *(La Punaise, Le Bain)*. |
| Babel | Ecrivain *(La Cavalerie rouge)*. |
| Meyerhold | (1874–1942). Metteur en scène soviétique dont les créations ont renouvelé l'art de la mise en scène. |

## CHEFS COMMUNISTES DANS LES DÉMOCRATIES POPULAIRES

| | |
|---|---|
| Rajk | Ministre des Affaires étrangères en Hongrie. Exécuté en 1948. |
| Clémentis | Ministre des Affaires étrangères en Tchécoslovaquie. Pendu en 1952. |
| Slanski | Secrétaire général du Parti communiste tchécoslovaque. Pendu en 1952. |
| Kostov | Premier ministre bulgare. Exécuté en 1948. |
| Gomulka | Secrétaire général du Parti communiste polonais. Arrêté en 1951, à nouveau secrétaire général en 1956. |
| Grotewohl | Premier ministre de la République démocratique allemande, 1949. |
| Ulbricht | Secrétaire général du Parti communiste de la République démocratique allemande, 1949. |

BIÉRUT          Président de la République polonaise, 1947–1956.

RAKOSI          Premier secrétaire du Parti communiste hongrois, réfugié en Russie en 1957.

GOTTEWALD       Président de la République tchécoslovaque, 1948–1953.

## AUTRES PERSONNAGES

GAPONE          (1870–1906). Prêtre orthodoxe, mène en 1905 la manifestation du Palais d'Hiver qui ouvre une première période révolutionnaire. Agent de la police secrète, exécuté par les révolutionnaires.

KERENSKI        (Né en 1880). Socialiste révolutionnaire, fut membre du Parti travailliste à la Douma. Ministre de la Justice puis de la Guerre dans le gouvernement du prince Lvov. En juillet, premier ministre du Gouvernement provisoire. Se réfugie en Angleterre puis en Amérique.

KORNILOV        Général en chef nommé par Kerenski le 1er août 1917. Se mutine en septembre, appelle à l'aide les Anglais. Devient le commandant de l'armée des volontaires contre-révolutionnaires.

Harry HOPKINS   (1890–1946). Homme politique, américain, ami et collaborateur intime de Roosevelt.

Edouard Benès     (1884–1948). Président de la République tchécoslovaque en 1935. Successeur de Masaryk. Préside le Gouvernement tchèque en exil à Londres. En 1945, président à nouveau. Démissionne en juin 1948.

Jan Masaryk     (1886–1948). Fils du fondateur de la République tchécoslovaque, ministre des Affaires étrangères: se jette par la fenêtre après le coup d'Etat de 1948.

*Ce glossaire ne comporte pas les noms des personnages qui sont suffisamment situés dans le texte.*

## *ORGANISMES*

### *Parti social démocrate ouvrier russe*

Parti des socialistes marxistes. Se scindera en 1903 en bolcheviks (majoritaires) et mencheviks (minoritaires). Les bolcheviks deviendront à leur tour minoritaires.

Les trois tendances socialistes principales sont:

– Les mencheviks, qui estiment que la société doit aller au socialisme par une évolution naturelle. Ils sont nationalistes.

– Les mencheviks-internationalistes, aile gauche internationaliste. Trotski a appartenu à ce groupe. Leader Martov.

– Les bolcheviks qui préconisent l'insurrection et la dictature du prolétariat. Ils s'organisent en parti en 1911.

### Socialistes révolutionnaires

Nés du mouvement «Volonté du Peuple», matrice de la révolution russe, datant de 1873, qui se divise après cette époque en une faction terroriste et une faction non terroriste, qui possède son journal *Le Partage noir*. De la faction terroriste sortira le «socialisme révolutionnaire», de la faction non terroriste, la social-démocratie marxiste qui se scindera en 1903 entre bolcheviks et mencheviks. Les socialistes révolutionnaires et les sociaux-démocrates, qu'Engels tentera de réconcilier, s'écarteront toujours davantage. Les socialistes révolutionnaires choisiront la voie qui passe par le paysan, les sociaux-démocrates celle qui passe par l'ouvrier. Au départ, hostiles au développement du capitalisme, que les marxistes considèrent comme «progressiste», les socialistes révolutionnaires, malgré de grands leaders, vont s'écarter des voies radicales qu'ils préconisent dès février 1917. La faction socialiste révolutionnaire de gauche collaborera un temps avec les bolcheviks après Octobre.

### Soviets

Conseils élus par des organisations populaires (ouvrières, militaires, paysannes: soviet de soldats, soviet d'ouvriers). Soviets locaux, soviets régionaux. Le Soviet national est dirigé par un Comité exécutif central.

Première ébauche des soviets en 1905: Soviet de Saint-Pétersbourg, présidé par Trotski. En mars 1917, le Soviet de Pétrograd reparaît.

### Douma

Parlement, assemblée délibérante municipale ou nationale. La première Douma nationale est concédée par Nicolas II en 1905. Nouvelle Douma en mars-avril 1917.

## SUR STALINE

*Tchéka*

Commission extraordinaire panrusse pour la lutte contre la contre-révolution, le sabotage, le banditisme, la spéculation et la concussion (décembre 1917–août 1927). Présidée par Dzerjinski.

*Guépéou*

Direction politique d'Etat pour la lutte contre l'espionnage et la contre-révolution (1922–1936).

*Gougobetz*

Section de Sûreté d'Etat auprès de la N.K.V.D.

*N.K.V.D.*

Commissariat à l'Intérieur et à la Sécurité.

*M.V.D.*

Ministère de l'Intérieur et de la Sécurité.

*Narkom*

Commissaire du peuple.

Imprimé en Suisse

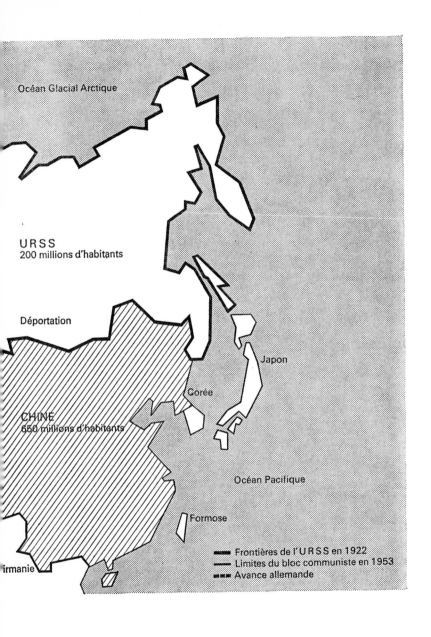

Océan Glacial Arctique

URSS
200 millions d'habitants

Déportation

CHINE
650 millions d'habitants

Japon

Corée

Océan Pacifique

Formose

irmanie

▬▬ Frontières de l'U R S S en 1922
▬ Limites du bloc communiste en 1953
▬▬▬ Avance allemande

# TABLE DES ILLUSTRATIONS

La reproduction, sans autorisation de l'auteur, des documents illustrant ce livre est rigoureusement interdite.

FRONTISPICE:

*Staline,* à Sotchi en 1933, avec Svetlana – Archives privées

# SUR STALINE

# TABLE DES MATIÈRES

*Imprimé sur les presses d'Héliographia S. A., à Lausanne. Reliure des Ateliers Mayer & Soutter, à Renens.*

*Imprimé en Suisse*